Ciało i ducha ratować żywieniem

Mała Biblioteka
pod redakcją
ks. Waleriana M. Moroza CSMA
Seria: **W TROSCE O ZDOWIE**

---

1. *Przywracać zdrowie żywieniem,*
   dr med. Ewa Dąbrowska
2. *Ciało i ducha ratować żywieniem,*
   dr med. Ewa Dąbrowska

Dr med. Ewa Dąbrowska

CIAŁO I DUCHA RATOWAĆ ŻYWIENIEM

Cykl konferencji
wygłoszonych w Radiu Maryja

Michalineum 2011

Opracowanie redakcyjne:
ks. Walerian Moroz CSMA

Projekt okładki:
Alicja Szubert-Olszewska

Redakcja techniczna:
Jadwiga Pokorzyńska

Wydanie uzupełnione

ISBN 978-83-7019-137-5

Wydawnictwo Michalineum
ul. Piłsudskiego 248/252; 05-261 Marki
tel. (22) 781 16 40; 781 14 20
fax (22) 771 36 15
e-mail: wydawnictwo@michalineum.pl
www.michalineum.pl

PRZEDMOWA

Autorka niniejszej pracy, dr med. Ewa Dąbrowska, należy do bardzo nielicznej dziś w Polsce grupy lekarzy, którzy zrozumieli, że główną przyczyną tak powszechnych i różnorodnych chorób zwyrodnieniowych (zwanych też „cywilizacyjnymi"), jest wieloletnie przekarmienie i ogólnie bardzo wadliwe żywienie. I że jedynym prawdziwie skutecznym, przyczynowym lekiem będzie tu głodówka lub dieta półgłodówkowa, która w swych różnych odmianach nazywana bywa również postem.

Lecznicze głodówki były w medycynie znane i stosowane od najdawniejszych czasów i dopiero w XIX w. szybki rozwój chemioterapii spowodował, że zarzucono je, przy szybkim rozpowszechnieniu leków farmaceutycznych, które usuwając tylko objawy, nie dotykają samej istoty choroby, a jeszcze często dodatkowo zatruwają ustrój.

Niestety – dzisiejsza medycyna, pogrążona i zakochana w chemii, z histerycznym nieomal lękiem odnosi się do leczenia głodem, o czym miałam możność przekonać się sama. Gdy napisałam dla lekarzy książkę pt. *Rewitalizacja i długowieczność*, w wydawnictwie lekarskim zażądano usunięcia z niej dwóch rozdziałów o leczeniu głodem. Na to nie zgodziłam się i w rezultacie książka ta ukazała się w poznańskim wydawnictwie „Różdżkarz", a inna moja książka (*Głodówka jako metoda leczenia*) wyszła nakładem bydgoskiego Towarzystwa Radiestezyjnego, chociaż ani z różdżkarstwem, ani z radiestezją nie mam nic wspólnego, a do tematu głodówek podchodzę tylko jako lekarz.

Z lekarskiego punktu widzenia jest zrozumiałe, że odcięcie lub wybitne ograniczenie dowozu pokarmu z zewnątrz zmusza ustrój do tzw. żywienia endogennego (wewnętrznego) czyli czerpania z własnych tkanek substancji koniecznych dla utrzymania prawidłowego składu krwi, przy czym zostaje zachowana „hierarchia ważności" – w pierwszym rzędzie zużyte zostają złogi, nadmiary, komórki zestarzałe i zwyrodniałe, przez co ustrój oczyszcza się i odmładza, a choroby znikają. Trzeba pamiętać, że nagromadzenie różnego rodzaju złogów w tkankach to jedna z podstawowych cech starzenia się, a w społeczeństwach zamożnych, zwykle przekarmionych, początkowe stadia choroby miażdżycowej stwierdza się już u małych dzieci.

Dłuższe, kilkutygodniowe głodówki, czy okresy diety półgłodówkowej, winny być otoczone lekarską opieką z odpowiednimi badaniami, a po takich kuracjach trzeba rozszerzać dietę bardzo ostrożnie i stopniowo, przechodząc już na stałe do żywienia w pełni „zdrowego".

Jako metoda lecznicza – głodówka (wodna, sokowa, czy warzywno-owocowa) ma swe wskazania i przeciwwskazania. Nie może oczywiście być stosowana w chorobach wyniszczających, czy połączonych z utratą białka, a także w przypadkach nowotworów złośliwych, choć przy normalnej terapii onkologicznej dieta „zdrowotna" może być bardzo pomocna, zwiększając odporność przeciwnowotworową. Natomiast bardzo liczne i różnorodne są choroby, w których istnieją wyraźne wskazania do leczenia głodem. Autorka niniejszej książki szeroko omawia te sprawy, ilustrując je opisami wyników kuracji. W swej metodzie Autorka stosuje tzw. głodówkę niezupełną czyli dietę półgłodową, podobną do surówkowej diety Bircher-Bennera, jednak mniej kaloryczną, w praktyce łatwiejszą i przystosowaną do polskich warunków.

Istnieją dziś w różnych krajach ośrodki leczenia głodem, w których już dziesiątki tysięcy ludzi ciężko chorych odzyskało zdrowie. Toteż doprawdy trudno zrozumieć, dlaczego oficjalna medycyna nie włączyła dotychczas tego leczenia do arsenału swych metod. Ileż zwyrodniałych, niewydolnych narządów mogłoby się przez to odnowić, ilu np. przeszczepów serca można by uniknąć, gdyby kandydatów, tak beznadziejnie długo czekających dziś na tę operację, poddano choćby kilkudniowej głodówce wodnej czy sokowej, przechodząc później na kilkutygodniową dietę warzywno-owocową.

Toteż trzeba serdecznie pogratulować Pani dr med. Ewie Dąbrowskiej, że w swej pracy lekarskiej tak odważnie weszła na tę drogę. I życząc Jej dalszych, jak najlepszych sukcesów, trzeba też wyrazić radość, że Radio Maryja umożliwiło Jej te odczyty, a wydawnictwo Michalineum CMM wydrukowało Jej prace, przez co wielu ludzi mogło się zapoznać z tą wspaniałą metodą leczenia. Zresztą właśnie katolickie media powinny tu służyć pomocą, gdyż to sam Chrystus Pan zalecił nam i uświęcił tę metodę, przechodząc na 40-dniowy post, nie z powodu choroby, lecz dla przygotowania się, przez oczyszczenie i wzmocnienie ustroju, do swej tak ciężkiej publicznej działalności. Również Matka Boża w swych objawieniach poleca krótkotrwałe, jednodniowe, lecz często powtarzane posty, które mają znaczenie nie tylko pokutne, ale i zdrowotne. W swych różnych postaciach głodówka jest ważnym elementem zdrowotnej ascezy. Dla jej podjęcia i prowadzenia potrzeba siły woli, ale zarazem kuracja taka uzdrawiając i oczyszczając ciało, rozjaśnia umysł i wzmacnia siły ducha, często pogłębiając religijność i przybliżając człowieka do Boga.

Doc. dr med. hab.
Kinga Wiśniewska-Roszkowska

WSTĘP

Wiele jest różnych diet,
ale post tylko jeden.

Pomysł zebrania i wydrukowania 13. audycji, nadanych w Radiu Maryja na temat leczenia postem, zrodził się pod wpływem sugestii radiosłuchaczy. O dużym zainteresowaniu naszego społeczeństwa tą metodą leczenia może świadczyć choćby kilka tysięcy listów, które otrzymałam. Z treści tych listów wynika, że wiele osób jest przewlekle chorych i cierpiących, że dotychczas stosowane leki często już nie skutkują, a są i takie przypadki, w których chorego w ogóle nie stać na wykupienie leków czy opłacenie leczenia. Stąd rodzi się pesymizm, brak nadziei w możliwość odzyskania zdrowia, a co najsmutniejsze – akceptacja choroby.

Człowiek jako cząstka Wszechświata podlega niezmiennym prawom Natury. Nie ma on, jako jednostka, większego wpływu na takie elementy otaczającego go środowiska jak np. zanieczyszczone powietrze czy woda. Natomiast może dzięki wolnej woli dokonywać świadomego wyboru pokarmów. I tu rodzi się ogromne niebezpieczeństwo popełnienia błędu. Ignorowanie praw Natury przez wybór niewłaściwego biologicznie pokarmu, może naruszyć stan równowagi na płaszczyźnie człowiek-środowisko i doprowadzić do rozwoju wielu chorób.

Człowiek stanowi również niepodzielną jedność na płaszczyźnie ciała, duszy i ducha. Ciałem rządzą zmysły (wzrok, słuch, węch, smak, dotyk). Dusza wiąże się z psychiką, a więc intelektem, wolą, emocjami. Natomiast duch wiąże się z sumieniem. Zarówno światem fizycznym, jak i psychicznym oraz światem ducha rządzą odwieczne i niezmienne prawa Natury. I tu żadna ziemska siła nie jest w stanie zmienić tych praw. Każde, nawet najmniejsze niepodporządkowanie się tym prawom, wywołuje zaburzenie stanu równowagi, a w konsekwencji może doprowadzić do wielu nieszczęść i chorób. Zatem należy wszelkimi siłami wracać do życia zgodnego z Naturą. Z pomocą przychodzi nam religia katolicka, która poucza, że należy zachowywać nakazane posty i nazywa post – jednym z najważniejszych dobrych uczynków. Tępi zaś nieumiarkowanie w jedzeniu i piciu, traktując je jako jeden z grzechów głównych.

Na ogół nikt nie obawia się przejedzenia, gdyż sądzi, że im więcej i lepiej będzie jadł, tym będzie zdrowszy. Często świadomie nie chcemy dostrzegać związku przyczynowego między jedzeniem, a rozwojem chorób, gdyż jedzenie wiąże się ze zmysłową przyjemnością, z której trudno zrezygnować. Natomiast wystarczy pomyśleć o poście, aby powstał lęk, nawet przerażenie, że umrzemy z głodu. Tymczasem nie zdajemy sobie sprawy z tego, że nadmiar jedzenia prowadzi do wielu chorób i jednocześnie niedoboru życiowo ważnych biokatalizatorów, które wbrew Naturze zostały usunięte z pokarmu w procesach przemysłowego oczyszczania.

Często jedynym ratunkiem współczesnego człowieka jest czasowe powstrzymanie się od jedzenia czyli post. Oto kilka odmian postu: zupełny (na wodzie), sokowy, warzywno-owocowy lub post o chlebie i wodzie. Wspólną cechą postów jest niedostateczne odżywianie zewnętrzne, co uruchamia zastępcze odżywianie wewnętrzne. Wówczas organizm samoistnie przywraca utracone zdrowie. Ta zdolność organizmu do samoleczenia znana była już w zamierzchłych czasach jako *vis medicatrix naturae* (lecznicza siła natury) i wiadomo było, że własny „lekarz wewnętrzny" – to najlepszy lekarz.

Istnieje jednakże niewielka grupa osób, które nie powinny stosować terapii postnych. Do nich należą chorzy na choroby wrodzone, gruźlicę, nadczynność tarczycy, niedoczynność nadnerczy, ostrą porfirię, depresję, wyniszczenie organizmu, a także dzieci i młodzież przed okresem dojrzewania. Jednakże ogromna ilość chorych cierpiących na przewlekłe choroby cywilizacyjne, a także osoby zupełnie zdrowe, mogą z powodzeniem stosować „oczyszczające" posty.

Warto jest też uświadomić sobie nieprzemijającą wobec Stwórcy wartość wszelkich, nawet czasowych wyrzeczeń np. pokarmów. Motywacja podjęcia postu, zwłaszcza dla wyższych celów, nie tylko zdrowotnych, ma ogromną wartość. Dlatego o konieczności poszczenia należy nie tylko mówić, ale także swoją aktywną postawą dawać przykład innym.

W tym przedsięwzięciu, które doprowadza do zdrowia ciało i ducha, życzę wszystkim opieki naszej Najświętszej Matki Maryi.

Ewa Dąbrowska

POST JAKO METODA LECZENIA

(Audycja I, z 5 września 1994 roku)

Jestem lekarzem klinicznym i zajmuję się leczeniem chorób wewnętrznych. Dziękuję za zaproszenie mnie do Radia Maryja. Pragnę podzielić się z Państwem moimi wynikami leczenia chorych – postem.

Post wiąże się z wyrzeczeniem i pokorą. Tradycyjne leczenie bazuje na przyjmowaniu szeregu chemicznych specyfików, co jest wygodniejsze, niż wyrzeczenia dietetyczne. Leki są skuteczne w usuwaniu jedynie objawów. Zdarza się, że leki wywołują szereg objawów ubocznych lub rozwija się niewrażliwość na ich stosowanie. Lek chemiczny jest dla organizmu zawsze obcym ciałem, które wątroba musi zneutralizować. Natomiast głód, podobnie jak nasycenie, to stany fizjologiczne.

Post, choć zapewne należy do najskuteczniejszych metod leczenia chorób współczesnej cywilizacji, jest z każdej strony atakowany, jak chyba żadna inna metoda leczenia. Wywołuje lęk, bywa niechętnie przyjmowany przez chorego i jego rodzinę.

Post jako metoda leczenia nie jest znany przez lekarzy, gdyż na uczelniach medycznych nie ma wykładów na ten temat. Dziś, mając już wieloletnie doświadczenie w stosowaniu tego sposobu leczenia, zrozumiałam, że jest to metoda uzdrawiania nie tylko ciała, lecz i ducha.

Będąc w czerwcu 1994 roku w Medjugoriu w byłej Jugosławii, gdzie od 13 lat Matka Boża codziennie objawia się grupie osób widzących, miałam okazję zapoznać się z treścią Maryjnych orędzi. Najświętsza Matka daje nam sposób, jak zwalczać szatana przy pomocy pięciu wymierzanych na niego „kamieni”:

1) codzienne odmawianie całego różańca,
2) codzienna Eucharystia,
3) czytanie fragmentu Pisma Świętego,
4) częsta spowiedź i
5) post (np. o chlebie i wodzie w środy i piątki).

Zrozumiałam, że post jest bronią skierowaną na szatana, zatem szatan będzie usiłował zwalczać posty.

Obserwując moich pacjentów, którzy wyleczyli się z szeregu chorób przez spożywanie w ciągu kilku tygodni jedynie warzyw i owoców, miałam okazję przekonać się wielokrotnie, jak post zbliżał ich do Boga. Widziałam nawrócenia, podjęcie w starszym wieku studiów teologicznych, wstępowanie do wspólnot religijnych, zerwanie z nałogiem tytoniowym, alkoholowym itp.

Byłam świadkiem ustępowania przygnębienia i pojawiania się pogodnego nastroju z powodu odzyskania zdrowia. Pacjenci stawali się bardziej życzliwi w stosunku do innych chorych, których całym sercem zachęcali do podjęcia takiej diety. Wyleczeni pacjenci są mi wielką pomocą w codziennej pracy.

Zawsze intrygowało mnie pytanie, czy nasz codzienny pokarm może być przyczyną chorób cywilizacyjnych? Wiadomo jest, że organizm człowieka stanowi najwspanialszy samoregulujący się układ, który dąży do utrzymania stanu równowagi czyli zdrowia. Aby była równowaga w organizmie, musi być równowaga w środowisku człowieka, a więc także w pożywieniu, które człowiek wbudowuje w swoje ciało.

Pokarm powinien być przyjmowany w stanie naturalnym, tzn. jak najmniej przetworzonym i w ograniczonej ilości. Wszelkie nadmiary lub niedobory zarówno ilościowe, jak i jakościowe doprowadzają do szeregu chorób cywilizacyjnych. Mechanizm rozwoju chorób „z żywienia" jest częściowo już poznany. Na podstawie piśmiennictwa wiadomo, że:

a) duże spożycie cukru i tłuszczu, a więc białej mąki, słodyczy, mięsa, może doprowadzić do niewrażliwości naszych komórek na insulinę i do powstania tzw. zespołu X, w skład którego wchodzi: otyłość, choroba wieńcowa, nadciśnienie, cukrzyca i wysoki poziom cholesterolu;

b) spożywanie nie naturalnych biologicznie olejów, to znaczy przetworzonych przemysłowo, a także tłuszczów zwierzęcych, cukru, alkoholu – może doprowadzić do blokady ważnego enzymu: delta 6 – desaturazy i zahamowania produkcji szeregu prostaglandyn m.in. przeciwmiażdżycowych i przeciwzapalnych;

c) spożycie pokarmu niezrównoważonego i niedoborowego, jakim jest biała mąka czy cukier, może spowodować zubożenie organizmu w szereg witamin z grupy B, E oraz pierwiastki: wapń i chrom, które są niezbędne do przyswojenia cukru przez organizm. Te wszystkie brakujące elementy są w zewnętrznej warstwie ziarna, którą człowiek odrzucił.

Nasz Stwórca, gdy tworzył ziarno jako podstawowy pokarm dla człowieka, uwzględnił te wszystkie elementy w idealnej proporcji. Dlatego najzdrowszym dla człowieka pokarmem są pełne ziarna zbóż i roślin strączkowych, a także wszystkie warzywa i owoce.

Jaki jest mechanizm terapii głodówkowych lub półgłodówkowych? Podstawową zasadą jest endogenne czyli wewnętrzne żywienie, polegające na zużywaniu tkanek według hierarchii ważności tzn. organizm najpierw wydala zbędną wodę (ustępują obrzęki), zużywa jako pokarm niepotrzebne zapasy, złogi m.in. tłuszczu, zwyrodniałych komórek i ogniska zapalne, zaś narządy życiowo ważne takie, jak mózg i serce są najdłużej oszczędzane. Wraz z zużywaniem starych komórek następuje regeneracja młodych, zdrowych komórek, co wiąże się z odmłodzeniem organizmu. Ustępują bóle stawów. Stawy są często od lat siedliskiem złogów kwasu moczowego i zwyrodniałych tkanek. Leki przeciwzapalne usuwają tylko objawy, zaś przyczynę może usunąć kuracja postna.

Pamiętam 39-letniego pacjenta, który cierpiał na cukrzycę, otyłość, nadciśnienie oraz skazę moczanową. Został skierowany z Poradni Cukrzycowej do mnie na konsultację, gdyż dawka insuliny, którą otrzymywał, przekroczyła 100 j., a poziom cukru był nadal wysoki. Poziom trójglicerydów we krwi był rekordowo wysoki i wynosił 1315 mg% (norma ok. 100 mg%), poziom cholesterolu przekraczał 400 mg%. Pacjent ten miał silne bóle stawów, nie mógł nawet przekręcić kluczyka od samochodu ani utrzymać łyżki. Na ciele były liczne guzki dnawe. Miał też miażdżycę zarostową kończyn. Z trudem wchodził na pierwsze piętro. Przebył zaleconą przeze mnie 7-tygodniową dietę warzywno-owocową, tracąc na wadze 19 kg (103 – 84 kg, wzrost 176 cm). Już po 17 dniach diety postnej ustąpiły bóle stawowe i krwawienia z dziąseł. Po guzkach podskórnych nie było śladu. Po dalszych 2 tygodniach można było odstawić insulinę, zęby przestały się chwiać, ciśnienie znormalizowało się, ukrwienie kończyn uległo poprawie. Zaczął wchodzić na czwarte piętro bez zatrzymywania się. Obecnie mijają 3 lata jak nie przyjmuje żadnych leków, przestrzega zdrowego żywienia i czuje się dobrze. We krwi ma prawidłowy poziom cholesterolu i trójglicerydów.

Na przykładzie tego pacjenta widzimy jak została przywrócona wrażliwość jego komórek na insulinę. Wraz z ustąpieniem otyłości wyleczył się z cukrzycy, nadciśnienia, zaburzeń lipidowych. Nastąpiła także wyraźna poprawa zmian miażdżycowych naczyń kończyn dolnych. To leczenie jest znacznie prostsze, aniżeli stosowanie do końca życia leków usuwających jedynie objawy chorobowe.

Kuracja postna oczyszcza krew z kompleksów immunologicznych, o czym przekonałam się badając je w trakcie leczenia. Nadmiar kompleksów blokuje komórki immunologiczne tak, że nie rozpoznają one ani obcych bakterii, ani własnych, zwyrodniałych komórek. Stąd łatwość infekcji i przewlekły charakter chorób. Po diecie poprawia się odporność, ustępują stare zmiany zapalne, pacjent już nie ma skłonności do przeziębień, a choroby zwyrodnieniowe cofają się. Widać to na przykładzie cofania sia paradontozy, zwyrodnień w stawach, przykurczów w stawach, łuszczycy, troficznych przebarwień skóry itp.

Na czym polega kuracja? Chcąc przywrócić zdrowie należy w pierwszym etapie zastosować kilkutygodniową kurację „oczyszczającą". Może to być dieta warzywno-owocowa. W drugim etapie powinno się wprowadzić zdrowe żywienie, oparte na pełnym ziarnie, na roślinach strączkowych, warzywach i owocach z dodatkiem mleka, najlepiej zsiadłego i twarogu. W czasie zdrowego żywienia zaleca się krótkotrwałe wstawki diety warzywno-owocowej, na przykład 1 tydzień w miesiącu lub post o chlebie i wodzie 2 razy w tygodniu, jak to zaleca Najświętsza Maryja Panna w Medjugoriu. Czas kuracji zależy od zaawansowania choroby i współpracy pacjenta. Najlepsze wyniki uzyskuje się po 6 tygodniach.

Początkowo sądziłam, że wystarczy 3-tygodniowy okres diety warzywno-owocowej, lecz badając frakcje cholesterolu u pacjentów z chorobą wieńcową, okazało się, że nie po 3, lecz po 6 tygodniach nastąpiła ich normalizacja (dziwnym zbiegiem okoliczności okres Wielkiego Postu trwa również 6 tygodni). Można stosować również kuracje krótsze, np.

1-tygodniowe, przeplatając je dłuższymi okresami zdrowego żywienia.

W czasie kuracji zaleca się spożywać warzywa ubogie w substancje odżywcze takie, jak: marchew, buraki, seler, rzodkiew, pietruszka, chrzan, kapusta, kalafiory, cebula, czosnek, pory, ogórki, zwłaszcza kiszone, kabaczek, dynia, sałata, zioła, pomidory, papryka, jabłka, grapefruity, cytryny. Nie należy w tym czasie spożywać zbóż, orzechów, ziemniaków, strączkowych, chleba, mleka, oleju, mięsa, ani słodkich owoców. Są zbyt odżywcze, hamują utratę wagi ciała, co jest równoznaczne z zahamowaniem procesów spalania własnych złogów tłuszczu i zwyrodniałych tkanek.

Jednym z częstszych błędów kuracji jest dodawanie do diety warzywnej pokarmów wysokoodżywczych takich, jak mleko, olej czy masło, co przerywa odżywianie wewnętrzne. Ponieważ odżywianie zewnętrzne jest wówczas nie wystarczające, więc może dojść do szeregu niedoborów pokarmowych i zahamowania procesów ustępowania chorób cywilizacyjnych.

Nie należy pić mocnej herbaty, kawy, alkoholu, ani palić papierosów. Warzywa zaleca się spożywać w postaci surówek, soków, warzyw duszonych i zup gotowanych na wodzie bez tłuszczu. Ilość pokarmów jest dowolna. Godny uwagi jest fakt, że po kilku dniach diety znika uczucie głodu, co sprzyja ograniczeniu ilości spożywanych pokarmów.

Przykładowy jadłospis:

Na śniadanie: szklanka soku pomidorowego lub jabłkowego, marchwiowego, słaba nie słodzona herbata, 2 jabłka, surówka.

Na obiad: zupa jarzynowa, kilka surówek, ugotowany burak, ogórek kiszony, sałata, bigos z kapusty i pomidorów na ciepło.

Na kolację: herbata ziołowa, jabłko, surówka.

Szczegółowy jadłospis codzienny jest zamieszczony na końcu książki.

W przypadku nietolerancji pokarmów surowych, zaleca się początkowo kilka dni postu o wodzie lub soku na przykład marchwiowym, następnie warzywa gotowane i stopniowe wprowadzanie surówek. W razie wzdęć dodawać do pokarmów zmielony kminek z majerankiem lub Raphacholin (sok z czarnej rzodkwi). Zaleca się codziennie spożywać pokarmy, zawierające bakterie kwasu mlekowego np. kiszone ogórki, kapustę, sok z kiszonych buraków oraz czosnek lub chrzan. Czosnek i chrzan są zabójcze w stosunku do bakterii gnilnych i nie niszczą bakterii fermentacyjnych. W czasie kuracji należy spożywać zielone rośliny (pietruszka, sałata, koper, pokrzywa, kapusta) w postaci soków, surówek. Rośliny te są źródłem dobrze przyswajalnego wapnia (co zapobiega odwapnieniu organizmu), chlorofilu, dostarczającego bezcennego magnezu i żelaza. Wolno używać soli z mikroelementami, gdyż jarzyny prawie nie posiadają soli.

Jaki jest przebieg kliniczny kuracji warzywno-owocowej? Najtrudniejszym okresem kuracji jest kilka pierwszych dni, kiedy to następuje przestawienie przemian na tory spalania. Niekiedy odczuwa się osłabienie, głód, ból głowy. Do krwi uwalniają się rozpuszczone w tłuszczu toksyny (pestycydy, leki). Jeżeli nie przerywa się kuracji, to po dwóch-trzech dniach wszystkie dolegliwości ustępują. Ważnym problemem są wypróżnienia, gdyż szereg przykrych objawów takich, jak uczucie osłabienia czy głodu właśnie wtedy ustąpią. Jako pierwszy znak poprawy pojawia się lepszy sen, pogodniejszy nastrój i nie spotykana dotąd chęć do pracy. Zwiększa się tolerancja wysiłku, zmniejszają się bóle wieńcowe, stawowe, chromanie, stopy stają się cieplejsze, cofają się przebarwienia troficzne skóry, ustępują obrzęki, pojawia się wielomocz. Pot i mocz przybierają przykry zapach, zaś stolec traci przykrą woń.

W czasie kuracji mogą występować tzw. kryzysy ozdrowieńcze w postaci nasilenia niektórych dolegliwości, które miały miejsce w przeszłości. Pojawia się np. ból stopy, która była złamana przed wielu laty, szum w uszach, który występował w wieku dziecięcym, względnie gdy ktoś wcześniej chorował na zapalenie uszu, zawroty głowy analogiczne jak wówczas, kiedy to przebył wstrząśnienie mózgu, obrzęk dziąseł, bóle stawów, niedokrwistość itp.

Obserwowałam ciekawy przypadek pojawienia się bolesnego nacieku na pośladku w czwartym tygodniu diety warzywnej. Chora leczona była dietą warzywną z powodu zakrzepowego zapalenia żył i otyłości. Jak się okazało, miała ona jako 5-letnie dziecko rozległy ropień pośladka po iniekcji penicyliny. A więc dopiero teraz, po 40 latach, jej układ immunologiczny oczyścił się na tyle, że mógł skutecznie zwalczać ognisko zapalne.

Jakie choroby poddają się takiemu leczeniu?

Najlepsze efekty uzyskuje się w typowych chorobach z przekarmiania, jak zespół X, tj.: choroba wieńcowa, cukrzyca II typu, nadciśnienie, otyłość, hipercholesterolemia, dna, miażdżyca zarostowa kończyn. Kuracja ta jest skuteczna w zaburzeniach immunologicznych takich, jak alergie skórne, astma, nawracające infekcje, kolagenozy, a także w chorobie zwyrodnieniowej stawów, zaćmie, paradontozie, chorobie wrzodowej, stłuszczeniu wątroby, owrzodzeniach podudzi. Równocześnie ustępuje szereg zaburzeń funkcjonalnych, jak zespół jelita nadwrażliwego, zaparcia, nerwica, jaskra itp.

Zdrowie można odzyskać, szukając ratunku nie w lekach zaczerpniętych z chemii, lecz przez powrót do życia zgodnego z odwiecznymi prawami Natury. Dlatego naglącą potrzebą jest pozytywne nastawienie i usprawnienie własnych, samoleczących mechanizmów przez post.

POST DANIELA

(Audycja II, z 19 września 1994 roku)

Zapoznałam poprzednio Państwa z dietą warzywno-owocową, która pod względem kaloryczności stanowi post. Z podobnym postem, opartym na jarzynach, spotykamy się w Piśmie Świętym w księdze Daniela (1,12-13): *Poddaj sługi twoje dziesięciodniowej próbie, niech nam dają jarzyny do jedzenia i wodę do picia. Wtedy zobaczysz jak my wyglądamy, a jak wyglądają młodzieńcy jedzący potrawy królewskie.* I ja przekonałam się wielokrotnie, że post jest chyba najskuteczniejszą metodą leczenia chorób współczesnej cywilizacji, a jednocześnie zbliża do Boga. Najlepszym pokarmem dla człowieka jest to, co stworzył Bóg. Księga Rodzaju (1,29) mówi: *I rzekł Bóg: Oto wam daję wszelką roślinę przynoszącą ziarno po całej ziemi i wszelkie drzewo, którego owoc ma w sobie nasienie: dla was będą one pokarmem.* A więc naszym naturalnym pokarmem powinny być ziarna i owoce.

Już 460 lat p.n.e. ojciec medycyny Hipokrates nauczał, że najlepszym lekarstwem jest odpowiednie pożywienie i że należy leczyć nie chorego, lecz przyczynę choroby. Pożywienie może być lekarstwem, ale również może być przyczyną wielu chorób.

W rozwoju chorób cywilizacyjnych istotną rolę odgrywa zaburzenie stanu równowagi w organiźmie. Aby zrozumieć, jak dochodzi do zachwiania tej równowagi, można by się posłużyć wykresem przypominającym odwróconą literę U. Jest tu przedstawiona zależność między dowozem energii (pokarmu), a stanem zdrowia. Wraz ze wzrostem przyjmowania substancji pokarmowych następuje poprawa zdrowia, organizm się regeneruje. Jest to rosnąca krzywa wykresu. Po pewnym czasie krzywa wzrostu płaszczy się. Jest to stan równowagi tzw. punkt P. Tu procesy metaboliczne utrzymują się na stałym poziomie: wszelkie zanieczyszczenia są uprzątane przez sprawne oczyszczanie organizmu. Ten dynamiczny stan oznacza zdrowie. Po przekroczeniu punktu P wykresu, krzywa opada. Oznacza to, że dalszy dowóz energii nie prowadzi do poprawy zdrowia, ale wprost przeciwnie, do pogorszenia zdrowia, odkładania złogów i degeneracji organizmu.

W świadomości wielu ludzi istnieje przekonanie, że im lepsze, czyli bardziej kaloryczne odżywianie, tym lepsze zdrowie, no i zaskoczenie z powodu pojawienia się choroby. W razie choroby należałoby natychmiast zastosować odcięcie dowozu substancji pokarmowych, a więc post, aby równowaga została przywrócona. Wówczas zostają uruchomione własne, samoleczące mechanizmy, które doprowadzają do cofania się na raz wszystkich chorób. Zatem chcąc przywrócić zdrowie odpowiednim żywieniem, należy w pierwszym etapie zastosować „oczyszczającą" głodówkę leczniczą lub proponowaną tu jej odmianę: dietę warzywno-owocową, a następnie wprowadzić na stałe zdrowe żywienie.

Dieta warzywno-owocowa polega na spożywaniu takich warzyw, jak korzeniowe, liściaste, kapustne, cebulowe; z dyniowatych: ogórki, zwłaszcza kiszone, kabaczki; z psiankowatych – pomidory i paprykę (bez ziemniaków), a z owoców: jabłka, cytryny. Warzywa należy spożywać w postaci surówek, soków, warzyw duszonych i zup gotowanych na wodzie, bez tłuszczu. W tym czasie nie należy jeść nic innego, a więc ani chleba, ani mięsa, ani mleka. Taka dieta doprowadza do przywrócenia równowagi w organizmie i do cofania się wszystkich chorób łącznie. Wraz z utratą wagi będzie się normalizowało ciśnienie tętnicze, będzie ustępowała cukrzyca, można będzie zmniejszyć dawki leków, aż do ich odstawienia. Równocześnie będą ustępowały bóle wieńcowe, stawowe i cały szereg innych dolegliwości.

Przytoczę kilka własnych badań. Jeżeli wyjściowa waga ciała jest wyższa, wówczas po diecie utrata wagi będzie większa. Pacjenci szczupli tracą na wadze po 2 tygodniach 3 kg, a otyli 4,6 kg. Większa utrata wagi na dobę występuje na początku kuracji i wynosi 0,48 kg/dobę, po 4 tygodniach 0,4 kg/dobę, a po 6 tygodniach diety dzienna utrata wagi wynosi tylko 0,28 kg.

Po 6 tygodniach diety poziom cholesterolu obniży się o 23 proc., a cholesterolu LDL (miażdżycorodny) o 13 proc. Cholesterol HDL („dobry") początkowo obniża się, a po 6 tygodniach diety wzrasta o 32 proc., co odpowiada przywróceniu gospodarki lipidowej do normy. Gdy cholesterol wróci do normy, to wiele innych zaburzeń metabolicznych powróci także do normy, gdyż są one ściśle związane z przemianą cholesterolu.

Jeżeli pacjent cierpiał na przewlekłą infekcję bakteryjną, to około czwartego dnia diety wystąpi wzrost temperatury, która po kilku dniach ulegnie samoistnej normalizacji. Odczyn opadania krwinek (OB), jeżeli był wysoki, to po kilku dniach diety obniży się. W chorobach zapalnych OB po kilku dniach kuracji przejściowo podwyższy się, a potem ulegnie normalizacji. Inne badania np. immunologiczne wykazują, że krew oczyszcza się z rozmaitych kompleksów immunologicznych, które dotąd zanieczyszczały krew. W przewlekłych zapaleniach wątroby podwyższona aktywność enzymów wątrobowych i autoprzeciwciał ulegnie już po kilku tygodniach obniżeniu. Dieta ta pozwala również na zmniejszenie albo odstawienie leków. Przykładowo: dzięki diecie można obniżyć dawki przyjmowanych przewlekle hormonów i nie będzie zaostrzenia objawów choroby pierwotnej np. astmy czy przewlekłego zapalenia stawów, albo zapalenia wątroby. Jest to zwykle niemożliwe na diecie normalnej. Leki należy redukować pod kontrolą lekarza.

Nasz gość, Krzysztof, jest przykładem chorego, który dzięki diecie warzywno-owocowej uzyskał zdrowie i uwolnił się od hormonów sterydowych.

Wypowiedź pacjenta: *Mam 22 lata i jestem studentem. Moja choroba zaczęła się 4 lata temu bólami żołądka i zażółceniem oczu. Trafiłem do szpitala, gdzie rozpoznano agresywne zapalenie wątroby. Przebywałem tam przez 1,5 roku. Byłem leczony dietą „wątrobową” bogatą w białko i chude mięso oraz dużymi dawkami hormonów sterydowych, których ilość stale zwiększano ze względu na brak poprawy. Mijały tygodnie, miesiące, a ja wciąż byłem przykuty do szpitalnego łóżka. Mimo intensywnego leczenia, czułem się źle. Miałem pobolewania w okolicy wątroby, brak apetytu, krwawienie z dziąseł, bóle stawów i mięśni. Miałem także zaczerwienienie skóry dłoni, a także bolesne powiększenie gruczołów piersiowych. Byłem osłabiony. Wszystko wskazywało na to, iż nie mam szans na wyleczenie.*

W tym czasie odwiedzał mnie kolega, który podarował mi modlitwę do świętego Judy Tadeusza, patrona spraw trudnych i beznadziejnych. Obiecywała ona każdemu, kto przez 25 dni będzie ją odmawiał, że to, o co poprosi Pana Boga, zostanie spełnione. I tak też się stało. Po kilku dniach mój lekarz prowadzący, nie widząc żadnej alternatywy, skonsultował mnie z dr Dąbrowską, która zaproponowała mi leczenie dietą jarzynowo-owocową. Podjąłem ją bez wahania. Już po 2 dniach diety samopoczucie moje uległo poprawie, co potwierdziło się w badaniach. Podwyższone enzymy wątrobowe zwane transaminazami spadły po 2 tygodniach diety z 800 do 70 jednostek. Mogłem wrócić do domu, w co sam nie bardzo jeszcze wierzyłem. Po zakończeniu kuracji ustąpiła żółtaczka i zaczerwienienie dłoni, zniknęły obrzęki gruczołów piersiowych, wrócił apetyt. Od tamtego czasu czuję się znakomicie. Jestem w pełni sił. Studiuję. Również w aspekcie duchowym moje życie uległo uzdrowieniu. Post zbliżył mnie do Boga. Wiem, że Pan Bóg mnie naprawdę kocha tak, jak kocha wszystkich ludzi na świecie. Jednak ja mogłem tego osobiście doświadczyć przez to cudowne, naturalne wyleczenie. Chwała Panu!

WARTOŚĆ BIOLOGICZNA POKARMÓW

(Audycja III, z 3 października 1994 roku)

Dla zilustrowania leczniczej potęgi postu zaprosiłam do Studia Radia Maryja jednego z moich pacjentów – pana Mieczysława, którego proszę o wypowiedź.

Mam 71 lat. Byłem przyjęty do szpitala w stanie śpiączki wątrobowej, w przebiegu krwotoku z wrzodów żołądka. Od 50 lat mam chorobę wrzodową dwunastnicy, a od 1982 roku występują u mnie okresowo krwotoki. Mam też od 20 lat nadciśnienie, nadwagę (ostatnio ważyłem 115 kg, przy wzroście 176 cm), a także cierpię na chorobę wieńcową. Po przejściu bardzo wolnym krokiem odcinka 200 m musiałem stawać, z powodu bólu zamostkowego, połączonego z dusznością. Przy wchodzeniu po schodach, już na drugim piętrze odczuwałem duszność i musiałem stanąć. Od 10 lat mam obrzęki kończyn dolnych. W lewej nodze dokucza mi zakrzepowe zapalenie żył. Miałem też bóle reumatyczne prawego kolana i okresowo krzyża. Przed przyjściem do szpitala poruszałem się z trudem. Już w 60 roku życia straciłem prawie wszystkie zęby, gdyż miałem paradontozę.

Zawsze odżywiałem się tradycyjnie, a więc na śniadanie kiełbasa, na obiad mięso, na kolację też mięso, boczek. Jadłem słodycze i prawie codziennie ciasta. Miałem skłonność do zaparć i zwiększone pragnienie. Trafiłem do szpitala z powodu kolejnego krwotoku z wrzodów żołądka i śpiączki wątrobowej. Byłem nieprzytomny przez 3 tygodnie. Ze względu na ciężki stan zostałem przez chirurga zdyskwalifikowany z zabiegu operacyjnego. Miałem wtedy też cukrzycę, zapalenie płuc i wodobrzusze Szanse przeżycia były określane na 5 procent.

Zastosowano mi leczenie początkowo sokiem z marchwi, następnie surówkami i zupami warzywnymi, później dołączono razowy chleb. Obecnie minęło pół roku. Czuję się dobrze. Schudłem 32 kg. Ważę 83 kg. Nie mam nadciśnienia, ani cukrzycy. Poziom cukru obniżył się z 400 do 80 mg%. Całkowicie ustąpiły obrzęki i wodobrzusze. Z powodu bólu stawów poruszałem się na wózku inwalidzkim, później z trudem o kulach. Obecnie ustąpiły bóle stawów, wróciły siły. Chodzę na spacery bez pomocy kul. Nie mam zadyszki, mogę bez problemu wejść na 7 piętro. Nie potrzebuję żadnych leków. Poprzednio po niedużym wysiłku pociłem się, teraz nie pocę się. Uregulowały się wypróżnienia. Zachowuję zdrowe żywienie, nie jem mięsa, cukru, jem dużo warzyw, owoców, kasz i strączkowych. Obecnie znajomi widząc mnie dziwią się i nie poznają mnie. Mimo utraty ponad 30 kg, skóra jest jędrna, zdrowa i nie mam zmarszczek. Jest lepsze samopoczucie i większa chęć do działania. Poprzednio niczym się nie interesowałem. Teraz interesuję się prasą, książkami. Zamierzam podjąć pracę jako biegły rewident. Poprawiła się pamięć. Umocniłem się jeszcze w wierze. Jestem wdzięczny Bogu za uratowanie mi życia. W trakcie kryzysu żona sprowadziła księdza, który dokonał namaszczenia olejami. Przetrwałem kryzysy i od tego czasu stan mojego zdrowia zaczął poprawiać się. Życie swoje zawdzięczam Bogu, że trafiłem do tego szpitala, gdzie pracowała pani Doktor, która zastosowała dietę i zdrowe żywienie. Ten sposób żywienia do chwili obecnej stosuję i będę stosował całe życie.

Jakie pokarmy należy spożywać, aby utrzymać na długie lata zdrowie?

Z wcześniejszej informacji dowiedzieliśmy się, że Pan Bóg przeznaczył nam na pokarm wszelkie rośliny noszące ziarno i wszelkie owoce mające w sobie nasienie, jak podaje Pismo Święte. Rośliny przynoszące ziarno, to przede wszystkim zboża, rośliny strączkowe, orzechy, pestki np. słonecznika. Roślinami przynoszącymi ziarno są także warzywa np. korzeniowe czy liściaste, gdyż wystarczy je posadzić do ziemi, a wydadzą one nasiona. Uzupełnieniem zdrowej diety powinny być owoce mające nasiona, jak jabłka, gruszki, dynie, pomidory itp.

Czym charakteryzują się te pokarmy? Przede wszystkim tym, że są żywe i że zapewniają dowóz do organizmu wszystkich niezbędnych składników pokarmowych i biokatalizatorów. Dostarczają one także dużo błonnika, a więc jednocześnie oczyszczają organizm.

W 1991 roku został opublikowany Raport Lekarzy na Rzecz Odpowiedzialnej Medycyny w Ameryce, który zrewolucjonizował naukę o żywieniu, uznając za podstawę zdrowego żywienia 4 grupy pokarmów (identycznych z tymi, jakie Pan Bóg przeznaczył dla człowieka). Są to:

1) pełne ziarna zbóż,
2) rośliny strączkowe,
3) warzywa,
4) owoce.

Jak z tego wynika, nie znalazły tu miejsca produkty zwierzęce takie, jak mięso i nabiał. Oznacza to, że nie są to produkty niezbędne. Mogą one być jedynie dodatkiem do diety, lecz nie jej podstawą.

W świetle współczesnej dietetyki największe znaczenie ma wartość biologiczna pokarmu, tzn. oddziaływanie pokarmu na zdrowie. Mniejsze znaczenie przypisuje się wartości kalorycznej, bądź odżywczej (ilość białka, cukrów, tłuszczu). Pokarmy można podzielić na:

1) biotwórcze (rozwijające życie),
2) bioaktywne (podtrzymujące życie),
3) biostatyczne (zwalniające procesy życiowe),
4) biobójcze (niszczące życie).

Pokarmy biotwórcze i bioaktywne to pokarmy bogate w witaminy, minerały, aminokwasy, enzymy, pigmenty itp. Do nich zalicza się: pełne ziarna zbóż i roślin strączkowych, ziarna skiełkowane, surowe owoce, warzywa, zioła. Gwarancją zdrowia jest spożywanie pokarmów z tych dwóch wyżej wymienionych grup.

Spożywanie pokarmów biostatycznych i biobójczych, tj. takich, których witalność została zniszczona przez rafinację, konserwację, dodatki chemiczne, powinno się ograniczać i stopniowo eliminować.

Co to jest żywienie biodynamiczne? Żywienie biodynamiczne, to żywienie, które podtrzymuje dynamikę wszystkich procesów biologicznych, daje ciału to, czego mu potrzeba i nie powoduje zatrucia. Główną zasadą zdrowego żywienia (biodynamicznego) jest równowaga. Jeżeli spożywamy pokarmy w następującej proporcji: białka 1, węglowodanów 6, tłuszczu 1/2, wtedy pokarm jest zrównoważony. Oznacza to, że osoba ważąca 70 kg potrzebuje na dobę białka 70 g, węglowodanów 420 g, tłuszczów 35 g. W zdrowym żywieniu są niezbędne także witaminy, sole mineralne, enzymy, pigmenty (karoten, chlorofil, antocjany, flawonidy) i woda. Wszelkie nadmiary lub niedobory składników pokarmowych zaburzają równowagę i wywołują choroby.

Pokarmem najlepiej zrównoważonym jest ziarno pszenicy, gdyż jest tu zachowana idealna proporcja białka w stosunku do węglowodanów, która wynosi 1:6. Ponieważ w ziarnie jest za mało tłuszczu, więc należy je spożywać z olejem, najlepiej tłoczonym na zimno lub z nasionami oleistymi (pestki słonecznika, dyni, soi).

Wiadomo jest, że organizm potrafi syntetyzować 14 aminokwasów, zaś 8 aminokwasów musi być dostarczonych z pożywieniem. Są to: leucyna, tryptofan, izoleucyna, lizyna, metionina, fenyloalanina, treonina i walina. W roślinach strączkowych brakuje metioniny. Spożywanie pokarmu jednostronnego, może zaburzyć równowagę. Korzystne jest łączenie roślin strączkowych z ryżem, kukurydzą lub pszenicą, aby uzupełnić brakujący aminokwas. Na przykład w pszenicy brakuje lizyny, więc można ją łączyć z kaszą gryczaną bogatą w ten aminokwas. Szczególnie korzystne połączenia stanowią zboża z warzywami, strączkowymi lub grzybami oraz warzywa z nabiałem, tłuszczem, rybą, zbożem. Wówczas uzupełniają się brakujące aminokwasy, co czyni białko roślinne pełnowartościowym. Nie należy łączyć nabiału czy mięsa z produktami zbożowymi, ziemniakami, ani z cukrem.

Przykłady niewłaściwych zestawień: zboża z mlekiem (np. zupa mleczna); zboża z mięsem (np. chleb z kiełbasą); jajka z cukrem (np. lody, ciasta).

Dotychczasowy system odżywiania zawiera wszystkie możliwe błędy. Obfite i niezrównoważone żywienie może doprowadzić do niedoborów szeregu składników pokarmowych i nieprawidłowej eliminacji niestrawionych resztek. Pojawiają się wtedy dolegliwości gastryczne, jak gazy, zaparcia, biegunki, bóle brzucha. Dolegliwości znikną po właściwym zestawieniu pokarmów.

Pożywienie, bazujące na pełnym zbożu, powinno stanowić podstawowy pokarm człowieka, jak to zaleca także makrobiotyka. Korzystny jest taki zestaw, aby zboże pokryło połowę zapotrzebowania na białko, co odpowiada 250 g chleba razowego lub ziarna. Resztę powinny pokrywać warzywa, owoce, nasiona strączkowe. Żywienie oparte na ziarnie zapobiega chorobom serca, nadciśnieniu, cukrzycy, nadmiarowi cholesterolu, nowotworom, chorobom stawów, skóry i wielu innych. Cukier, pochodzący z pełnego ziarna, owoców, jarzyn, uwalnia się stopniowo w miarę bakteryjnego rozkładu błonnika, co zapewnia długie utrzymywanie się cukru na właściwym poziomie. Taki sposób odżywiania nie wywołuje w organizmie żadnych zaburzeń.

PROCESY GNILNE W JELITACH A ZDROWIE

(Audycja IV, z 17 października 1994 roku)

W leczeniu chorób odpowiednim żywieniem należy w pierwszym etapie zastosować post np. oparty na jarzynach, aby oczyścić organizm z wszelkich złogów, a następnie stosować zdrowe żywienie i okresowo posty. Dziś zaprosiłam kolejnego pacjenta, pana Henryka, chorego na porfirię skórną, który podzieli się z Państwem swoimi obserwacjami na temat jego choroby i leczenia dietą warzywno-owocową.

Mam lat 63. Od 30 lat choruję na porfirię skórną. Codziennie, od wielu lat tworzyły mi się na grzbietach rąk, twarzy i szyi – pęcherze, które pękały, pozostawiając nie gojące się ra-

ny. Skóra na dłoniach była krucha i odbarwiona. Przy lekkim uderzeniu rwała się jak mokry papier. Oddawałem mocz koloru ciemnego piwa. Miałem bardzo dużo innych dolegliwości, jak bóle serca po wysiłku, wysokie nadciśnienie (ponad 200 / 130).

Miażdżyca nóg uniemożliwiała mi chodzenie. Mogłem wejść najwyżej na I piętro i musiałem długo odpoczywać, gdyż bolały mnie nogi i brakowało tchu. Ważyłem około 100 kg. Bolały mnie wszystkie stawy i zmuszony byłem brać wiele leków. Leki powodowały zgagę, wymioty, wrzody żołądka, które nie ustępowały mimo leczenia. Od wielu lat miałem trudności z wypróżnianiem. Pojawiły się nawet żylaki na nogach. Po niedużym wysiłku pociłem się i miałem wciąż duże pragnienie. Z powodu zmian skórnych byłem często w szpitalu, ale leczenie było nieskuteczne. Pracując w handlu, narażony byłem na urazy skóry na dłoniach, co uniemożliwiało mi pracę.

Miałem złą odporność, gdyż często się przeziębiałem. Każda infekcja trwała po kilka miesięcy. Również miałem paradontozę i ropne zapalenie dziąseł. Z tego powodu straciłem wiele zdrowych zębów.

Dotąd odżywiałem się głównie mięsem, słodyczami, tłuszczem i piłem duże ilości piwa. Przed rokiem przebyłem 6-tygodniową kurację warzywno-owocową i od tej pory zmieniłem radykalnie odżywianie na całkowicie roślinne. Schudłem 25 kg. Zagoiły się wszystkie rany. Skóra stała się mocna i odporna na urazy. Zniknęły również odbarwienia skóry. Ustąpiły bóle serca i nóg. Mogłem teraz ciężko pracować uprawiając działkę swoją i jeszcze działki dwóch kolegów.

Teraz nie mam zgagi ani kłopotów z wypróżnieniem. Ustąpiły też wszystkie bóle reumatyczne i korzonkowe. Nawet cofnęły się żylaki nóg. Wcale się nie przeziębiam. Mam prawidłową wagę, która utrzymuje się. Poprzednio źle spałem, byłem wciąż niewyspany. Teraz śpię doskonale i mam wiele energii do życia. Dzięki Bożej pomocy i częstej modlitwie wytrwałem w swoim postanowieniu. Wyzbyłem się nie tylko nałogu papierosowego, alkoholowego, ale także smakołyków i mięsa. Otoczenie dziwi się skąd mam tyle energii. Nie chcą wierzyć, że poszcząc i jedząc tylko rośliny można wyzdrowieć.

Zatrzymajmy się nad tą chorobą. Jej przyczyną jest niedobór jednego z enzymów wątrobowych, niezbędnych do syntezy porfiryn, z których powstaje m.in. hemoglobina. W grupie 83 chorych na porfirię obserwowałam, że oprócz typowych dla tej choroby zmian skórnych w postaci nie gojących się ran i pęcherzy na grzbietach dłoni i twarzy, bardzo często współistnieją z nią inne choroby cywilizacyjne. Niemal u wszystich chorych występuje stłuszczenie wątroby, u 50% chorych jest choroba wieńcowa i miażdżyca kończyn dolnych, objawiająca się chromaniem przy chodzeniu. Z dużą częstotliwością występuje zapalenie wątroby, choroba wrzodowa żołądka lub dwunastnicy, choroba zwyrodnieniowa stawów, paradontoza, cukrzyca, nadciśnienie itp.

Jak powiązać przyczynowo te wszystkie choroby?

Badani pacjenci nie byli ludźmi starymi, średnia wieku wynosiła 50 lat. Wszyscy odżywiali się tradycyjnie, żaden nie stosował postów. W ich krwi stwierdziłam dużą ilość tzw. kompleksów immunologicznych, które na przestrzeni 10 lat utrzymywały się na wysokim poziomie. Podobnie wysoki poziom takich kompleksów obserwowałam w wielu innych chorobach cywilizacyjnych. Wiadomo dziś, że takie cząsteczki kompleksów blokują komórki immunologiczne. Wówczas system odpornościowy nie rozpoznaje i nie niszczy żadnych złogów np. cholesterolu, ani zwyrodnień np. dziąseł, zmarszczek na skórze, ani bakterii, czy wirusów.

Skąd się biorą we krwi takie cząsteczki? Można podejrzewać, że pochodzą one z jelit, z bakterii gnilnych. Ponieważ stłuszczała wątroba traci zdolność oczyszczania krwi napływającej z jelit, więc te cząsteczki przedostają się do krwi, upośledzają systemy usuwania zbędnych złogów i zwyrodnień, co sprzyja rozwojowi wielu chorób. Praktyka potwierdziła słuszność tej teorii. Okazało się, że przez zastosowanie postu opartego na jarzynach te kompleksy znikają z krwi w ciągu kilku tygodni, a więc tym samym krew się oczyści. Dopiero wtedy organizm uruchamia samooczyszczanie i regenerację, a więc samoleczenie.

Co dzieje się, jeżeli spożywamy białko zwierzęce np. mięso? Mięso długo zalega w przewodzie pokarmowym, co u człowieka trwa dłużej niż u zwierząt mięsożernych. Mięso jest pokarmem niezrównoważonym, gdyż nie ma m.in. błonnika. Bakterie gnilne w jelicie niszczą bakterie fermentacji mlekowej, które są niezbędne do trawienia błonnika oraz do produkcji witaminy B i K. Bakterie gnilne nie produkują witamin. Mówiąc o szkodliwości mięsa, wymienia się zwykle przestrogę, że mięso szkodzi gdy jest tłuste i smażone, natomiast niewiele się mówi o tym, że każde białko zwierzęce podlega gniciu jelitowemu. Wystarczy nieduże uszkodzenie wątroby, jak stłuszczenie, aby produkty gnicia przeszły bez odtrucia przez wątrobę i przedostały się do krwi i tu jako kompleksy immunologiczne zanieczyściły organizm. Blokada komórek immunologicznych przez kompleksy wiąże się także z nierozpoznawaniem bakterii, wirusów, komórek nowotworowych. Gdybyśmy częściej pościli – nie przeziębialibyśmy się tak łatwo, ani nie mielibyśmy żadnych chorób cywilizacyjnych.

U ludzi chorych na choroby „z żywienia" takie, jak miażdżyca, cukrzyca II typu, otyłość, nadciśnienie, zwyrodnienie kości, zapalenie kości, stawów, wątroby, dziąseł itp. wskazany jest post na warzywach i owocach. Wówczas poprawi się nie tylko odporność na zakażenia, lecz będą ustępować wszystkie choroby, aż powróci stan równowagi czyli zdrowie.

Znacznie zdrowiej jest spożywać zamiast mięsa – białko roślinne, którego jest dużo w pełnym ziarnie – ok. 10 proc., w fasoli – 20 proc., soi – 40 proc., a w mięsie – ok. 20 proc. Białko roślinne jest pokarmem zrównoważonym, towarzyszy mu dużo błonnika, co zapewnia sprawne oczyszczanie jelit, a przede wszystkim nie powoduje gnicia, nie zawiera szkodliwych tłuszczów nasyconych, ani cholesterolu, tak jak mięso. Mięso gromadzi w sobie ogromne ilości pestycydów, a rośliny mają proporcjonalnie ich śladowe ilości. Mięso wywołuje uzależnienie czyli nałóg. Człowiek nie powinien spożywać pokarmów, które uzależniają, jak kawa, cukier, alkohol itp.

Białko zwierzęce zakwasza organizm, co doprowadza do neutralizowania zasadowymi solami wapniowymi z kości, zatem białko zwierzęce może doprowadzić do osteoporozy czyli odwapnienia kości. Ponieważ szkodliwe działanie mięsa nie ujawnia się szybko, lecz trwa latami, dlatego nie zauważamy związku przyczynowego między spożywaniem mięsa, a rozwojem chorób.

Pacjenci, cierpiący na choroby cywilizacyjne, powinni wystrzegać się spożywania mięsa i zastępować je białkiem roślinnym.

Zaprzestanie spożywania mięsa zaoszczędzi nam ogromnej ilości energii, którą bezpowrotnie tracimy na trawienie białka zwierzęcego. Uczucie siły po posiłku mięsnym, to pozorne działanie szeregu substancji stymulujących takich, jak np. kwas moczowy. Po pewnym czasie nie jedzenia mięsa organizm odzwyczaja się i znika pożądanie mięsa.

Pokarm roślinny dostarcza wszystkich niezbędnych składników pokarmowych i sprzyja zasiedleniu się flory bakterii kwasu mlekowego. Znikają wówczas wszelkie zaburzenia trawienia oraz niedobory witamin.

BEZCENNY BIO-OLEJ WIESIOŁKOWY

(Audycja V, z 14 listopada 1994 roku)

Nieprawidłowe żywienie wywołuje choroby, których przebieg jest często przewlekły i podstępny. Dziwnym zbiegiem okoliczności ani pacjenci, ani lekarze nie dostrzegają związku przyczynowego między żywieniem, a rozwojem chorób. W podręcznikach akademickich czytamy, że przyczyna choroby jest nie znana, albo że wywołują ją różne czynniki, ale nie żywienie. Niektóre choroby noszą przydomek samoistne np. nadciśnienie, ale nie znajdziemy nigdzie rozdziału o leczeniu postem. Dlaczego tak jest? Dlaczego tak mało ludzi pości, skoro nawet religia uznaje konieczność poszczenia?

Musimy zdać sobie sprawę z tego, że często jesteśmy świadkami, a nawet ofiarami walki dwóch sił, które nas atakują: z jednej strony tzw. rozkosze podniebienia, dogadzanie sobie, rozwój zgubnych nawyków i nałogów, wiara w reklamy, które wciskają się do naszych umysłów każdą drogą, a z drugiej strony – wyrzeczenie, odmówienie sobie przyjemności jedzenia, post lub skromne żywienie.

Która siła zwycięży, zależy od nas samych, gdyż mamy wolność wyboru – wolną wolę. Sumienie nam bezbłędnie podpowiada, co wybrać. Ale jak trudno iść za jego głosem. Wszędzie kusi żywność przetworzona przemysłowo. Dziś nawet trudno znaleźć żywność naturalną.

Będąc w towarzystwie można zaobserwować, że post często wywołuje śmiech i kpiny. Lekarze nie doceniają jego roli, gdyż nie spotkali się na studiach z postem. Wielu z nich uwierzyło w potęgę leku chemicznego. A przecież leki usuwają jedynie objawy, a nie przyczynę choroby. Na przykład: antybiotyk zabija bakterię, ale właściwą przyczyną choroby nie była bakteria, ale obniżona odporność organizmu. Powinniśmy przede wszystkim oczyścić organizm z czynników blokujących odporność, a następnie spożywać taki pokarm, który dostarczy wszystkich elementów niezbędnych do prawidłowego funkcjonowania systemu odporności.

Dziś zaprosiłam kolejnego pacjenta, pana Józefa, który był ofiarą takiego nieprawidłowego żywienia. Chorował przez wiele lat, przebył śmierć kliniczną. Obecnie dzięki diecie jarzynowo-owocowej i racjonalnemu żywieniu odzyskał zdrowie.

Wypowiedź pacjenta: *Mam 71 lata. Od 15 lat choruję na astmę oskrzelową, chorobę wieńcową, zatory płucne, kamicę nerkową oraz zmiany kostne kręgosłupa, kończyn dolnych i górnych. W 1980 roku przeszedłem zawał serca. Od 1977 roku przebywałem w szpitalach 16 razy. Po każdym pobycie w szpitalu przybywało mi leków, które mi przepisywano na poszczególne choroby. Doszło do tego, że łykałem 15 tabletek dziennie. Prześwietlenie przewodu pokarmowego wykazało przepuklinę, która wywołuje częste pieczenie tzw. zgagę. Wówczas waga moja wynosiła 97 kg. Na to wszystko składało się odżywianie pokarmem bogatym w białko, jak mięso wieprzowe dość tłuste, przeważnie wędzone i smażone, często sos, mleko pełnotłuste, masło, jaja, wędliny oraz dużo pokarmów mącznych. Wszystko to pogłębiało moją chorobę. Stawałem się bezradnym, bez chęci do życia, obojętnym na wszystko, co się wokół mnie dzieje.*

Często zapadałem na zapalenie oskrzeli i płuc. Pobyty w szpitalu trwały niejednokrotnie 3 miesiące. Powstawały obrzęki nóg. Było bardzo słabe krążenie, gdyż marzły mi nogi. Na dłoni miałem guzy kostne zwyrodnieniowe wielkości śliwki. Wypróżnienie było co 4–5 dni. Przeważnie z zaparciem. Włosy były sztywne jak druty. Poruszałem się z wielkim trudem. Po przejściu 50 m musiałem odpoczywać. Zamieszkuję na I piętrze. Kiedy szedłem do mieszkania brak powietrza zmuszał mnie do odpoczynku na 1/2 piętrze. W czasie mojej choroby korzystałem kilkakrotnie z sanatorium. Po każdorazowym pobycie nie było widocznej poprawy. Zmiany kostne na dłoniach były tak duże, że miałem trudności z pisaniem, trzymaniem łyżki, a nawet z ubieraniem się. Nie mogłem nawet podnieść rąk do góry.

W grudniu 1993 roku pogotowie przewiozło mnie ponownie do szpitala, gdzie zostałem reanimowany z powodu zatrzymania pracy serca. Po kilkudniowym pobycie na oddziale kardiologii, zostałem przeniesiony na oddział wewnętrzny i tam zastosowano mi dietę składającą się wyłącznie z jarzyn i owoców. Przez kilka dni organizm mój miał trudności z przestawieniem się na inne żywienie, lecz konsekwentny upór i samozaparcie zostało wynagrodzone tym, że po 3 tygodniach waga wykazała spadek o 8 kg i z zaleceniem zachowania diety zostałem wypisany ze szpitala. Dietę stosuję w dalszym ciągu, co trwa już 10 miesięcy. Obecnie ważę 69 kg, tzn. waga moja spadła o 28 kg. Zaznaczam, iż przez cały czas nie biorę absolutnie żadnych leków. Czuję się bardzo dobrze. Wszystkie dolegliwości ustąpiły. Nie mam astmy. Poprzednio zapadałem na astmę wielokrotnie w ciągu roku. Przyj-

mowałem silne leki, jak encorton, co łagodziło na krótko objawy. Przy zmianie pogody duszność i bóle stawów uniemożliwiały mi opuszczenie mieszkania.

Obecnie nie mam żadnych dolegliwości, ani bólów stawów i sam jestem zaskoczony, że guzy zwyrodnieniowe kości rąk, który były wielkości śliwki całkowicie cofnęły się i wróciła sprawność. Ustąpiły ograniczenia ruchomości stawów i mogę swobodnie unosić ręce. Poprzednio miałem bóle kręgosłupa, stawów kolanowych i łokciowych, przy zmianach pogody. Teraz nie odczuwam żadnych dolegliwości przy zmianie pogody. Kiedyś wciąż byłem senny i spałem dniem i nocą. Wszystko to minęło bezpowrotnie. Wstaję o 6 rano, czuję się wyspany i mam dużą chęć do pracy, jak za czasów mojej młodości. Dużo chodzę w terenie górzystym (ponad 4 km / dzień) i nie odczuwam ani duszności, ani bólu nóg.

Cholesterol obniżył się z 386 mg% do 147 mg%. Ustąpiła arytmia serca, bóle serca i obrzęki nóg. Poprzednio, mimo brania wielu leków, te dolegliwości utrzymywały się przez ponad 20 lat. Będąc na kontroli u okulisty okazało się, że wzrok uległ poprawie i prze-

pisano mi szkła o 1 dioptrię słabsze i mam nadzieję, że będę mógł w niedługim czasie czytać bez szkieł. Zauważyłem, że włosy przestały wypadać i stały się miękkie jak aksamit. Nie mam trudności z wypróżnianiem. Niskie ciśnienie tętnicze, które miałem od lat, uległo normalizacji. Wszyscy, którzy mnie znali, teraz nie poznają mnie. Twierdzą, że wyglądam o 10 lat młodziej. Kiedyś wiosną i jesienią cierpiałem na wrzody żołądka. Dolegliwości wrzodowe ustąpiły bez żadnych leków, tylko dzięki radykalnej zmianie żywienia. Od roku nie jem mięsa, ciast, cukierków, ani żadnych tłuszczów zwierzęcych. Moje pożywienie składa się w 80 proc. z surówek z dodatkiem chleba razowego, kasz, fasoli i olejów tłoczonych na zimno z dodatkiem 2 kapsułek oleju wiesiołkowego. Wszystkie badania mam prawidłowe. Naturalne żywienie i post czynią cuda i Bogu niech będą dzięki za to!

Jak widzimy nasz pacjent całe życie odżywiał się tłusto i obficie. Od około jednego roku jest wegetarianinem, nie je żadnych produktów zwierzęcych, tylko pokarm roślinny i olej wiesiołkowy i czuje się świetnie.

Tłuszcze zwierzęce, jak widać, nie należą do zdrowego żywienia. Podobnie tłuszcze roślinne utwardzone czyli margaryny, także nie należą do zdrowego żywienia. Reklama zachęca do kupowania margaryn informując, że nie zawierają cholesterolu. To prawda, bo pochodzą z oleju roślinnego, a rośliny nie wytwarzają cholesterolu – to chwyt reklamowy. Cholesterol produkują tylko organizmy zwierzęce. Utwardzony olej roślinny czyli margaryna – nie występuje w naturze. Nasz organizm nie jest przystosowany do spożytkowania takich olejów roślinnych przetworzonych przemysłowo. Niektóre margaryny mają aż 40 proc. nieprawidłowych kwasów tłuszczowych o strukturze przestrzennej zwanej *-trans*. Tylko struktury *-cis* występują naturalnie w przyrodzie i one są najlepiej przyswajalne przez organizm człowieka. Te naturalne oleje roślinne są najzdrowsze, jeśli spożywamy je w nasionach oleistych, jak soja, pestki słonecznika, dyni lub w olejach tłoczonych na zimno, a nie rafinowanych. Takie oleje sprzedają sklepy ze zdrową żywnością. W tych olejach zawarte są tzw. nienasycone kwasy tłuszczowe, które budują nasze błony komórkowe. Z tych kwasów tłuszczowych organizm syntetyzuje niezwykle cenne prostaglandyny m.in. chroniące przed miażdżycą i przed zapaleniem.

Jak wykazały badania naukowe, tłuszcze stałe, a więc zwierzęce oraz kwasy tłuszczowe -*trans* (zawarte m.in. w margarynach), mogą zablokować enzym desaturazę, dzięki któremu powstaje w organiźmie tzw. kwas gamma-linolenowy, a z niego prostaglandyny. Zahamowanie syntezy prostaglandyn sprzyja rozwojowi szeregu chorób takich, jak: miażdżyca, nadciśnienie, wysoki poziom cholesterolu, alergiczne zapalenie skóry, reumatoidalne zapalenie stawów, zatrucie ciążowe, obrzęk piersi, przerost prostaty, stwardnienie rozsiane, zespół zmęczenia powirusowego, a nawet zaburzenia zachowania u dzieci i wiele innych chorób. Na szczęście ten brakujący kwas gamma-linolenowy można uzupełnić w diecie, przyjmując olej wiesiołkowy, który zawiera go około 10 proc. Kwas gamma-linolenowy nie występuje w innych pokarmach. Olej z wiesiołka jest dostępny w aptekach i sklepach ze zdrową żywnością (np. Oeparol firmy Agropharm). Pamiętajmy o uzupełnieniu naszej diety w ten cenny olej. Wystarczą 2 kapsułki na dzień i wówczas zaobserwujemy nie tylko ustępowanie chorób skóry, ale też większą odporność na infekcje, obniżenie podwyższonego ciśnienia i cholesterolu, ustępowanie obrzęku piersi i powikłań naczyniowych w cukrzycy, zakrzepach, a nawet uspokojenie nadmiernie pobudzonych dzieci.

Olej wiesiołkowy koryguje szkody wywołane nieprawidłowym żywieniem. Należy pamiętać, że mleko matki jest najlepszym pokarmem dla dziecka m.in. dlatego, że zawiera kwas gamma-linolenowy. Obecność w diecie matki olejów przetworzonych przemysłowo, które zawierają m.in. wiązania *-trans,* obniża zawartość kwasu linolenowego w mleku i hipotetycznie zapoczątkowuje m.in. miażdżycę i choroby alergiczne u dziecka. Jak widzimy przez spożywanie przetworzonych olejów, można doprowadzić do rozwoju miażdżycy, zaś olejem nieprzetworzonym, a jedynie wytłoczonym z nasion, możemy leczyć miażdżycę i wiele innych chorób. Dla człowieka zawsze najlepszym pokarmem będzie to, co Bóg dla niego przeznaczył na pokarm, a więc ziarna, nasiona oleiste, warzywa i owoce.

ODŻYWIANIE WEWNĘTRZNE PRZECIWDZIAŁA CHOROBOM CYWILIZACYJNYM

(Audycja VI, z 14 listopada 1994 roku)

Jaka jest różnica między niedożywieniem, a postem? Otóż niedożywienie jest stanem patologicznym, tzn. chorobowym, a post stanem fizjologicznym, który doprowadza do zdrowia. Odmianą postu jest kuracja warzywno-owocowa, która dostarcza organizmowi ogromnej ilości tzw. biokatalizatorów czyli witamin i mikroelementów, które aktywizują setki naszych enzymów i przemian. Nie dostarczają tłuszczu, cholesterolu, białka. Organizm pozbawiony tych substancji budulcowych zaczyna odżywiać się endogennie czyli wewnętrznie. Oznacza to, że wszystkie zwyrodniałe tkanki, złogi zbędnych substancji balastowych, obrzęki, miażdżyca, kamica – wszystko to jest usuwane z organizmu. Dlatego już na początku każdego postu obserwujemy wielomocz i samoistne cofanie się wszelkich obrzęków, nawet tych wieloletnich. Mocz zawiera duże ilości soli mineralnych, piasku – jest mętny. Mocz, pot, oddech mają przykry zapach. Wszelkie toksyny opuszczają organizm każdą drogą, nawet przez spojówki, które często ulegają przekrwieniu.

Teraz następuje zużywanie zapasów cukru odłożonego w wątrobie i mięśniach, jako glikgenu. Również tłuszcz zaczyna rozkładać się pod wpływem enzymu lipazy na kwasy tłuszczowe i glicerol. Kwasy tłuszczowe są eliminowane przez ścianę przewodu pokarmowego, co jest przyczyną m.in. tego, że poszcząc nie odczuwa się głodu. Przez analogię jakby spożywało się tłuszcz, który daje uczucie sytości. Prędko dochodzi do proteolizy czyli rozpadu własnych białek, a co najciekawsze w pierwszej kolejności białek chorych i zwyrodniałych. Są to zwyrodnienia różnych narządów, kości, dziąseł, skóry. Zaburzenia cofają się jednocześnie. Ponieważ organizm dąży do równowagi czyli homeostazy, więc wraz z rozpadem komórek, natychmiast następuje regeneracja, ale tym razem młodych i zdrowych komórek. Choroby zwyrodnieniowe w miarę upływu lat dotąd postępowały. Teraz następuje odmłodzenie całego organizmu zwane rewitalizacją, co sprzyja długowieczności. Dlatego tak ważnym czynnikiem terapeutycznym są posty.

Przeciwieństwem odżywiania wewnętrznego, które ma wszechstonnie dobroczynny wpływ na zdrowie, jest niedożywienie, a więc odżywianie zewnętrzne, ale niedostateczne. Paradoksem jest to, że człowiek XX wieku odżywia się zbyt obficie, a jest niedożywiony. Brakuje mu wielu niezbędnych składników pokarmowych, które w procesie przetwarzania żywności uległy eliminacji. Brakuje m.in. niezbędnych nienasyconych kwasów tłuszczowych, a zwłaszcza kwasu gamma-linolenowego, który jest zawarty w oleju wiesiołkowym. To nie lek, to bio-olej, a więc pokarm o niezwykłej aktywności biologicznej, przywracający zdrowie.

Innym przykładem powszechnego niedożywienia są ogromne niedobory witamin zwłaszcza z grupy B u osób żywiących się białą mąką, która została pozbawiona tej witaminy wraz z otoczką ziarna. W mące razowej jest dużo witamin z grupy B. Gdy brakuje w pożywieniu witamin, to będą one czerpane z własnych zapasów, doprowadzając do wielu zaburzeń, jak zapalenie korzonków nerwowych, nerwowość. Przykładem niedożywienia były w czasach wojny obozy koncentracyjne.

W dzisiejszych czasach jest wiele osób żywiących się jednostronnie. Przyczyną tego jest to, że nie mogą jeść wielu pokarmów, gdyż one im szkodzą. Osoby te mają często ogromne zaburzenia, często też gruźlicę. Przekonałam się wielokrotnie, że w takich przypadkach, gdy chory nie toleruje np. surowych owoców i jarzyn, najlepszą metodą leczenia był kilkudniowy post na soku z marchwi i wywarach jarzynowych. Po ok. 4 dniach występowała wówczas biegunka i od tego czasu skończyły się kłopoty. Pacjent mógł już jeść wszystkie surowe warzywa i owoce, włącznie z czosnkiem, chrzanem i cebulą. Ta biegunka, to m.in. złuszczanie zwyrodniałej błony śluzowej przewodu pokarmowego i następnie regeneracja zdrowej śluzówki. Ale tak trudno jest pościć, jeśli w rodzinie są prowadzone dwie różne kuchnie. Zawsze zachęcam, aby kurację warzywno-owocową podejmowali mąż i żona, nawet jeśli jedno z nich jest zdrowe. Ten rodzaj postu oczyszcza organizm i warto czasem przeprowadzić to wewnętrzne „oczyszczanie". Przykładem małżeństwa, które podjęło solidarnie 6-tygodniową kurację warzywno-owocową, jest pani Sabina i jej mąż pan Jan, których proszę o relację z przebiegu kuracji.

Wypowiedź pani Sabiny: *Przyjechaliśmy do Radia Maryja z Gdańska, aby w szczególny sposób podziękować Panu Jezusowi i Matce Najświętszej za nasz powrót do zdrowia. Mam 58 lat. Od 10 lat choruję na „wieńcówkę" i nadciśnienie. Przyczyną choroby było to, że odżywialiśmy się nieracjonalnie. Bardzo lubiliśmy z mężem jeść takie potrawy, jak jaja smażone na boczku, kotlety schabowe itp. Z czasem powstały u mnie duże zmiany w kręgosłupie, które były powodem silnych bólów głowy. Rwa kulszowa ograniczała moje ruchy. W grudniu przeszłam operację woreczka żółciowego, ale najbardziej dokuczliwą chorobą okazała się „wieńcówka". Żyłam w nieustannym strachu, ataki były bardzo często. W czerwcu znalazłam się w szpitalu na intensywnej terapii. Po 3 tygodniach wróciłam do domu, ale poprawy nie było. Dzienna dawka leków to 15 tabletek. Wątroba dała o sobie znać, nie mogłam nic jeść. Zalecenia lekarskie to ograniczenie trybu życia: mało chodzić i nic nie robić. Byłam załamana. Ale Pan Jezus nie pozostawia człowieka samego ze swoim cierpieniem. Tak też było w moim przypadku. Z woli Bożej znalazłam się po silnym ataku serca w szpitalu. Po dwóch dniach pobytu pani doktor zaproponowała mi dietę warzywno-owocową, jako jedyne wyjście dla mnie. Zgodziłam się. I tak przebrnęłam przez okres 6 tygodni. Nie powiem, że było mi lekko. Ale kiedy nie mogłam już patrzeć na warzywa, wówczas łączyłam się z Panem Jezusem i Jego Matką i prosiłam o wytrwanie. A na koniec każdego dnia dziękowałam Im za przeżyty dzień i oddawałam ten dzień Panu Jezusowi na Jego chwałę, jako akt uwielbienia za Jego post 40-dniowy.*

Już na 4. dzień kuracji ustąpiły bóle głowy i zaczęłam w nocy dobrze spać. Dzisiaj po 6. tygodniach kuracji mogę powiedzieć, że jestem prawie wyleczona, ponieważ jeszcze utrzymuje się we krwi trochę wyższy cholesterol. Ale już bez trudu wchodzę na 4 piętro. Dużo spaceruję. W domu wykonuję wszystkie czynności. Serce pracuje normalnie. Ataki serca i wątroby ustąpiły zupełnie. Czuję się świetnie. Straciłam 12 kg nadwagi.

I ja dzisiaj zwracam się osobiście z gorącą prośbą i apelem do wszystkich ludzi chorych: jeżeli macie Państwo możliwość, to skorzystajcie z leczenia dietą warzywno-owocową. Zachęciłam moją znajomą, która była osobą bardzo chorą na cukrzycę, silną „wieńcówkę”, dużą nadwagę. Już po 3 tygodniach poziom cukru obniżył się z 380 do 145 mg% i powróciło bardzo dobre samopoczucie. Chciałabym również bardzo serdecznie podziękować pani Doktor za okazane mi serce i pomoc w trudnych chwilach. A trudom dzieła, jakiego się podjęła, niech dobry Bóg, Pan Jezus i Matka Najświętsza błogosławią!

Wypowiedź pana Jana: *Mam również 58 lat i wraz z żoną zastosowałem dietę. Kończę teraz 6. tydzień i czuję się bardzo dobrze. Poprzednio leczyłem się u profesora. Miałem ciężką „wieńcówkę" i zawroty głowy. Przyjmowałem duże ilości leków i nic nie pomagało. Już po 4 dniu diety ustąpiły bóle w kolanach. Nie mam w ogóle bolów w klatce piersiowej, ani zawrotów. Wszystkie leki odstawiłem. Uprawiam sport – ćwiczę gimnastykę. Schudłem 11 kg. Teraz mogę czytać gazety bez okularów. Dotąd używałem okularów 1,5 dioptrii. Czuję się bardzo dobrze. Zachęcam wszystkich do korzystania z tej diety.*

Wolne rodniki
– sprawcą chorób degeneracyjnych

Naszym wrogiem numer 1 są tzw. wolne rodniki, ponieważ głównie one powodują większość chorób cywilizacyjnych. Wolne rodniki to niezwykle aktywne atomy lub cząsteczki, którym brakuje jednego elektronu. Aby zdobyć brakujący elektron, zabierają go z każdej tkanki. Uszkadzają białka, tłuszcze i kwasy nukleinowe naszych komórek. Wolne rodniki są przyczyną zmian stawowych, nowotworowych, sercowo-naczyniowych, immunologicznych, zaćmy, tzw. plam starczych na skórze, zmarszczek i wielu innych chorób degeneracyjnych.

Źródłem wolnych rodników mogą być pokarmy zwłaszcza smażone, pieczone, zjełczałe, promienie jonizujące, leki. Wolne rodniki powstają także w organizmie w przebiegu procesów metabolicznych. Szczególnie duże ilości tych cząsteczek dostarcza palenie papierosów oraz każdy proces zapalny w organiźmie. Przewlekła infekcja wirusowa czy bakteryjna wiąże się z fagocytozą czyli pożeraniem komórek bakterii przez komórki żerne, tj. leukocyty. Wolne rodniki powstają w procesie fagocytozy. Zatem należy sobie uzmysłowić, że każdy przewlekły proces bakteryjny czy wirusowy, podobnie jak palenie papierosów może potencjalnie doprowadzić do rozwoju nowotworu czy chorób sercowo-naczyniowych.

Warto wiedzieć, że 1/3 nowotworów jest związana z przewlekłą infekcją. I tak przykładowo: infekcja wirusem żółtaczki może wiązać się z rakiem wątroby, infekcja bakterią *Helicobacter* – z wrzodem i rakiem żołądka. Czynnikiem wyzwalającym wolne rodniki jest też nadmiar żelaza w organiźmie. Zbyt duża ilość żelaza w diecie, np. pochodzącego z mięsa, może być czynnikiem ryzyka choroby sercowo-naczyniowej czy nowotworu. Jak wykazały badania naukowe, wszelkie ograniczenia w przyjmowaniu białka w diecie, jak również ograniczenie kalorii, znacznie wydłużają przeżycie i zmniejszają częstość występowania raka.

Szczególne znaczenie w profilaktyce chorób nowotworowych i sercowo-naczyniowych ma dieta warzywno-owocowa, gdyż łączy w sobie trzy cenne wartości:

1) ograniczone spożycie białka i tłuszczy wiąże się ze spadkiem produkcji wolnych rodników w organizmie;

2) dieta warzywno-owocowa dostarcza dużych ilości zmiataczy wolnych rodników takich, jak: beta-karoten, witamina C i E;

3) dostarcza mikroelementów m.in. cynku i miedzi, które aktywizują nasz najpotężniejszy enzym zmiatający wolne rodniki czyli miedzio- cynko- zależną dysmutazę nadtlenkową.

Spożywanie surowych warzyw i owoców, jako źródeł zmiataczy wolnych rodników, zapobiega chorobom zwyrodnieniowym i nowotworowym. U chorych z miażdżycą stwierdza się szczególnie niskie stężenie witamin antyoksydacyjnych. Amerykańskie Instytuty Żywieniowe zalecają codzienne spożywanie przynajmniej 2 owoców i 3 jarzyn.

SYGNAŁY ALARMOWE „MOWĄ CIAŁA”

(Audycja VII, z 28 listopada 1994 roku)

Dziś zatrzymamy się nad „sygnałami alarmowymi”, które wysyła nasze ciało, aby nas poinformować, że została zaburzona równowaga. Są różne rodzaje sygnałów i różne stopnie ich natężenia. Medycyna nazywa te sygnały objawami chorobowymi albo chorobą. Jakże często nie potrafimy właściwie zrozumieć tej „mowy ciała". Czujemy się bezradni, wpadamy w nerwicę, a często depresję. Szukamy ratunku w lekach zaczerpniętych z chemii. Zwykle lekarstwa przynoszą ulgę, ale na krótko, bo przecież usuwają jedynie objawy. A organizm wciąż sygnalizuje, że przyczyna nie została usunięta.

„Sygnały alarmowe" mogą dotyczyć każdego narządu, zmysłu, psychiki. Czasami są niezauważalne, a niekiedy są niezwykle intensywne. Podam przykłady niektórych sygnałów alarmowych: bardzo częstym objawiem jest brak apetytu, gorszy sen, uczucie zmęczenia, nawet rano, zmiana samopoczucia wraz ze zmianą pogody – jak barometr; bóle głowy, stawów, serca, gorączka, kaszel, chromanie nóg, krwawienie z dziąseł, zgaga, świąd skóry, obrzęki, ziemista cera, wypadanie włosów, zawroty głowy itp. Nie wolno lekceważyć tych sygnałów, lecz właściwie je odczytać i usunąć. Organizm domaga się przywrócenia zachwianej równowagi, a nie usuwania objawów alarmowych np. gorączki, przez podanie aspiryny lub podanie kwasku solnego w przypadku braku apetytu.

Jeśli wystąpi gorączka, to znaczy, że organizm wytwarza ogromne ilości przeciwciał niszczących bakterie, a także interferonu, skutecznie niszczącego wirusy. Gorączce towarzyszy brak apetytu. Dziś wiemy, że komórki immunologiczne, które walczą z bakterią czy wirusem, uwalniają do krwi tzw. interleukiny, które są odpowiedzialne m.in. za gorączkę, brak apetytu i bóle mięśni. To właśne mięśnie ulegają niewielkim procesom rozpadu, dostarczając materiału budulcowego do produkcji przeciwciał. Jakże często w przypadku przeziębienia są bóle mięśni, nawet gałek ocznych, gorączka i brak apetytu. Te „sygnały alarmowe" są zwykle ignorowane, a pacjenta zmusza się do jedzenia m.in. mięsa, żeby miał siłę. Gorączkę obniża aspiryna. W efekcie choroba leczona czy nie leczona trwa tak samo długo.

Żeby wspomóc siły obronne organizmu należałoby w takim przypadku zastosować post, podać świeże soki z jarzyn czy owoców, które dostarczą biokatalizatorów m.in. cynku, miedzi i magnezu, które usprawnią enzymy immunologiczne i dostarczą witamin. Można podać olej wiesiołkowy, który usprawni produkcję prostaglandyn przeciwzapalnych oraz podać czosnek, który działa przeciwbakteryjnie i przeciwwirusowo. Zapewnić dowóz świeżego powietrza, dużej ilości płynów, ziół napotnych, gdyż wraz z potem chory oczyszcza się, ale też i odwadnia. Najważniejsza jest profilaktyka.

Aby nie przeziębiać się ani nie chorować na żadne choroby, wskazane są okresowe posty, np. zupełne czyli o wodzie, albo częściowe np. na jarzynach i owocach lub o chlebie i wodzie.

Zaobserwowałam, że moi pacjenci, którzy przeszli kurację warzywno-owocową i przestrzegają zasad zdrowego żywienia, stali się zupełnie uodpornieni na wszelkie infekcje wirusowe czy bakteryjne. Świadczy to o tym, że układ immunologiczny jest tylko wtedy sprawny, gdy organizm okresowo jest poddawany oczyszczającym postom. Zauważyłam też, że organizm zanieczyszczony produktami przemiany materii inaczej reaguje na różne pokarmy, niż oczyszczony postem. Przykładowo: organizm oczyszczony – „buntuje się" pod wpływem wielu szkodliwych pokarmów np. smażonych, wędzonych, tłustych. Może wystąpić biegunka, ból brzucha, nudności, wymioty, zgaga, ból głowy itp. Organizm nie oczyszczony już nie reaguje na tego rodzaju pokarmy. Rozwija się tolerancja.

Wiele pokarmów wywołuje uzależnienie czyli nałóg m.in. kawa, słodycze, mięso, alkohol, narkotyki. Jest to wysoce niebezpieczny stan, kiedy stajemy się niewolnikami nałogu. To nie my mamy wtedy wolność wyboru pokarmu, lecz pokarm rządzi nami. Należy wystrzegać się pokarmów dających uzależnienie. Unikajmy picia kawy. Jeżeli zastosujemy okresowy post, to ze zdziwieniem zauważymy, że czujemy się rano rześcy i pełni ochoty do pracy i prędko zapomnimy o porannej kawie. To wielka satysfakcja móc panować nad swoim ciałem i wyrzec się wszystkich nałogów. Nie jedzmy słodyczy, są one całkowicie zbędne. Nie uczmy dzieci jeść słodyczy i nie kupujmy ich przy każdej okazji. Niech jedzą owoce, orzechy, migdały, rodzynki, pestki. Białko zwierzęce zastępujmy białkiem roślinnym. Propagujmy model zdrowego żywienia, nie pijmy alkoholu. Nawet niskoprocentowy alkohol, jak piwo czy wino, upośledza funkcje komórek immunologicznych i wywołuje stłuszczenie wątroby.

Wielokrotnie widziałam korzystny efekt diety warzywnej w cofaniu się stłuszczenia wątroby i przywracania odporności immunologicznej do normy. Na diecie warzywnej nie smakuje alkohol. Taka dieta pozwala opanować nałóg. Pożądanie alkoholu, kawy, słodyczy zwiększa się, gdy jemy zbyt kalorycznie. Aby spalić spożyte kalorie, organizm musi pozbawić się dużej ilości energii. Wtedy rośnie zapotrzebowanie na pokarmy dostarczające energii, jak alkohol, słodycze, kawa.

Pragnę zwrócić uwagę na problem „zanieczyszczenia" organizmu i naturalnej reakcji – braku apetytu. Nie należy wówczas jeść na siłę albo np. zmuszać dzieci do jedzenia. Zawierzmy mądrości organizmu. Czasowe przegłodzenie daje szansę na oczyszczenie organizmu. Jedzenie bez uczucia głodu nie jest stanem fizjologicznym.

Brak postów wiąże sią z gromadzeniem złogów i zwyrodnień. Jak bardzo burzliwie organizm sygnalizuje taki stan. Przykładowo, pod wpływem złogów kwasu moczowego, występuje silny ból stawów palców stóp, a w tkance podskórnej pojawiają się guzki. Podczas diety, wraz z utratą wagi zostaje przywrócona do normy przemiana kwasu moczowego. W tej chorobie należy unikać jadania mięsa i stosować okresowe posty.

Innym sygnałem alarmowym jest kolka nerkowa; jest to tak silny ból, że porównuje się go do bólów porodowych. Tu również kuracja postna może doprowadzić do zupełnego rozpuszczenia kamieni i wydalenia ich w postaci piasku. Dieta warzywno-owocowa również eliminuje wszelkie zanieczyszczenia stawów procesami zyrodnieniowymi i zapalnymi.

W ubiegłym tygodniu jedna ze słuchaczek Radia Maryja przyjechała do mnie z Warszawy, żeby podziękować za to, że po 4 tygodniach diety warzywnej jej przykurczone palce wyprostowały się, zniknęły guzki zwyrodnieniowe i ustąpiły bóle stawów. Przy okazji cofnęła się niedokrwistość złośliwa. Można podejrzewać, że typowa dla tej choroby zwyrodniała zanikowa błona śluzowa żołądka uległa regeneracji, co poprawiło wchłanianie witaminy B_{12}. Jest to dla mnie nowością. Opatrzność Boża zarządziła, że na swej drodze życia ja, lekarz leczący postem, spotkałam lekarza, leczącego modlitwą – znaną słuchaczom Radia Maryja siostrę Józefę Szłykowicz. Wiele zawdzięczam siostrze Józefie m.in. zaproponowaną inicjatywę mówienia o leczeniu żywieniem w Radiu Maryja. Oddaję jej głos.

Wypowiedź siostry Józefy: *Bardzo się cieszę, że mogę razem wystąpić, bo jesteśmy zaprzyjaźnione ze sobą już od 4 lat i ja jestem już 4 lata na diecie. Nie zastosowałam tej diety ze względu na swoją chorobę,lecz z tego powodu, by móc na swoim przykładzie mówić, jaki jest jej przebieg i skutki.*

Pierwszy raz zetknęłam się z panią doktor gdy miałam pacjenta chorego na wątrobę. I wówczas kiedy usłyszałam, że można tę chorobę wyleczyć, że w ogóle miażdżyca może się cofać, jako lekarz byłam zszokowana. Przecież tyle lat studiowałam, byłam w Stanach Zjednoczonych, przechodziłam różne kursy lekarskie na licencję i nikt mi o tym nie mówił, że miażdżyca jest procesem odwracalnym. Ale ponieważ mam umysł otwarty, więc poprosiłam panią doktor, aby zechciała przyjść do mnie, a ja zorganizowałam spotkanie z lekarzami. I wówczas ona przyniosła dowody badań radiologicznych i badań analitycznych. Lekarze, którzy to słyszeli, nie potrafili tego odrzucić. Mój szwagier radiolog, kiedy zobaczył zmiany radiologiczne, to miał wątpliwości, czy jest to ten sam pacjent, bo zmiany radiologiczne tak bardzo się cofnęły. Powiedział też, że gdyby nie stare złamanie kości uwidocznione na zdjęciu, to uważałby, że jest to inne, podstawione zdjęcie. Potem zorganizowaliśmy spotkanie z chorymi i tutaj świadectwa ludzi chorych, uratowanych z przeróżnych chorób wątroby, nadciśnienia itd. były dla mnie wystarczającym potwierdzeniem, by całkowicie zaufać i przejść na tą dietę. Miałam szczęście, że rozpoczęliśmy tę dietę w trójkę. Był u mnie wtedy starszy kapłan, który miał problemy z połowicznym niedowładem. Były u niego zmiany w tętnicach szyjnych i gdy długo słuchał spowiedzi, to nasilało się niedokrwienie mózgu. Razem z nami była studentka, która miała nawracające objawy alergiczne.

Wówczas mogliśmy obserwować, że każdy z nas miał inne objawy zaostrzeń chorób. Ja przechodziłam kiedyś kurację salicylanami i pojawił się szum w uszach, który kiedyś przy tym leczeniu występował. Ten ksiądz miał okresowe zaostrzenia różnych objawów chorobowych, ta młoda studentka, zaczęła mieć katar i różne objawy alergiczne, które przechodziła w dzieciństwie. Efekt okazał się doskonały, szczególnie u kapłana, który wrócił do pełnej równowagi i w dalszym ciągu może skutecznie pomagać ludziom w sakramencie spowiedzi.

Od tego czasu wszystkim moim przyjaciołom i znajomym polecam tą dietę. Jestem stale na zdrowym żywieniu i okresowo na diecie surówkowej. Mogę powiedzieć, że mam za dużo energii oraz entuzjazmu. Wiele moich przyjaciół jest mi wdzięcznych za wyleczenie z wielu chorób: z astmy, alergii, z otyłości, z nadciśnienia. Moja mama miała chorobę wieńcową i arytmię. Leki nie dawały rezultatu. Po kuracji surówkowej, akcja serca wróciła całkowicie do normy, ustąpiły wszystkie objawy choroby alergicznej.

KRYZYSY OZDROWIEŃCZE

(Audycja VIII, z 12 grudnia 1994 roku)

Poprzednio wspomniałam o tzw. sygnałach alarmowych organizmu, w którym została zachwiana równowaga. Często występującym objawem jest brak apetytu, który może sygnalizować przesycenie organizmu toksynami. Wówczas konieczne jest powstrzymanie się od jedzenia, aby umożliwić procesy samooczyszczania. Innym objawem może być gorączka, która ma przyspieszyć zwalczanie infekcji. Nie powinno się ignorować tych sygnałów przez podawanie leków poprawiających apetyt lub obniżających gorączkę. Oczywiście zdarzają się przypadki wyjątkowe, gdy takie postępowanie jest uzasadnione.

Innym i częstym objawem jest ból stawów, który może sygnalizować nagromadzenie się w stawie złogów kwasu moczowego i zwyrodnień. Wszelkie łagodzenie bólów przez stosowanie leków przeciwzapalnych nie usuwa przyczyny, bóle będą stale nawracać. Należałoby zastosować czasowy post lub np. dietę warzywno-owocową. Już po kilku dniach ustąpią nawet wieloletnie bóle, a leki staną się zbędne. Mądrość organizmu jest wielka. Należy zdobyć umiejętność właściwego rozumienia tych sygnałów alarmowych i starać się żyć i odżywiać zgodnie z naturą.

Dziś zatrzymamy się nad sygnałami alarmowymi, które wysyła organizm w trakcie kuracji postnej lub diety warzywno-owocowej.

Są to tzw. kryzysy, względnie pseudokryzysy ozdrowieńcze. Nie spotykamy ich w trakcie tradycyjnego leczenia farmakologicznego. Natomiast znane są one nie tylko osobom stosującym terapie głodówkowe, ale także ziołolecznicze, homeopatyczne, akupresurowe. Te kierunki reprezentują tzw. medycynę naturalną.

Po raz pierwszy byłam świadkiem takiego kryzysu przed kilkunastu laty, gdy stosowałam u chorego na przewlekłe wirusowe zapalenie wątroby ziołowy lek o nazwie Padma. Lek ten eliminuje wirusa przez przywrócenie równowagi immunologicznej organizmu. Byłam zdumiona, że w ciągu siedmiu dni terapii nastąpiło u chorego wyraźne pogorszenie. Nasiliły się bóle wątroby, narosły enzymy wątrobowe. Już następnego dnia pacjent czuł się świetnie i po raz pierwszy od dłuższego czasu nie odczuwał typowego dla infekcji wirusowej osłabienia. W jego krwi pojawiły się przeciwciała przeciwwirusowe, które niszczyły zakażone wirusem komórki wątroby. Stosując później dietę warzywno-owocową wielokrotnie obserwowałam, także najczęściej siódmego dnia, pojawienie się różnych kryzysów ozdrowieńczych.

Jeden spośród lekarzy, zajmujący się leczeniem głodówkami, stwierdził: „jeśli nie rozpoznałeś choroby twojego pacjenta, to zaleć mu post, a za kilka dni zobaczysz na co on choruje". Objawy takiego kryzysu mogą być rozmaite i są zwykle wyrazem nasilenia objawów choroby, na którą pacjent dotąd zapadał. Może to być, np. wysoka gorączka z pojawieniem się zmian skórnych w przypadku tocznia trzewnego. Są to objawy typowe dla tej choroby. Kiedy one wystąpią w czasie żywienia tradycyjnego„ będą świadczyć o zaostrzeniu choroby. Zwykle towarzyszącym objawem są bóle stawów. Jeśli pojawi się gorączka i zmiany skórne w czasie kuracji, to bóle stawów szybko ustąpią.

Kryzysy ozdrowieńcze można podzielić na wczesne (do 1 tygodnia) i późne (powyżej 1 tygodnia kuracji). Kryzysy ozdrowieńcze występują częściej we wczesnej fazie terapii. Ich intensywność wiąże się z ilością nagromadzonych toksyn, złogów i zwyrodnień. Na początku kuracji zwykle pojawiają się bóle głowy i niepokój. Te objawy powstają wskutek uwolnienia z tkanek do krwi szeregu toksyn. Przejściowo pojawia się kwasica. Od tej chwili ma miejsce odżywianie wewnętrzne, a komórki otrzymują dodatkową energię.

Największym sekretem zachowania zdrowia jest gromadzenie energii. Brak energii wiąże się m.in. z objawami zmęczenia, a także z upośledzeniem jednej z naważniejszych funkcji organizmu, jaką jest usuwanie zbędnych produków przemiany materii. Toksemia jest częstym objawem chorobowym. Kryzys w toksemii – to objawy ostrego stanu chorobowego, który wiąże się z zastępczym wydalaniem trucizn. Natomiast kryzys ozdrowieńczy w trakcie kuracji dietetycznej to znak informujący, że sam organizm uruchomił system oczyszczania wewnętrznego, najpierw powierzchownych warstw ciała (błony śluzowe przewodu pokarmowego), a po kilku tygodniach – głębokich jego warstw (np. kości). Pojawienie się biegunki około 4 dnia kuracji jest wczesnym objawem oczyszczania śluzówki przewodu pokarmowego ze zwyrodnień, owrzodzeń żołądka i jelit.

Pamiętam 14-letniego chłopca chorego na wrzodziejące zapalenie jelita grubego. W jelicie namnożyła się niebezpieczna bakteria Clostridium. Przez wiele lat organizm chłopca nie mógł wyprodukować przeciwciał zwalczających toksynę tej bakterii. Po zastosowaniu diety warzywnej stwierdziliśmy już w 7 dobie produkcję dużych ilości przeciwciał. Towarzyszyło temu nasilenie biegunki, odczynu OB oraz gorączki. Te kryzysy przepowiadały wyzdrowienie.

Post ma ogromne znaczenie lecznicze. Moc lecznicza postu jest potężna. Doprowadza organizm do stanu homeostazy czyli równowagi. Taka terapia nie leczy każdej choroby z osobna, lecz wszystkie razem. W medycynie tradycyjnej, jak wiemy, każda choroba wymaga innego lekarstwa. Lek przynosi ulegę w cierpieniu dość szybko, lecz dolegliwość powraca z chwilą, gdy zaprzestaniemy przyjmować lek. Lecząc terapią głodówkową, czy dietą warzywno-owocową, leki często stają się zbędne, a niekiedy nawet szkodliwe. Wyposzczony organizm zupełnie inaczej reaguje na leki, niż dotąd. Łatwo może dojść do powstania objawów ubocznych i dlatego należy leki redukować, a w miarę możliwości odstawić, ale zawsze pod kontrolą lekarza.

Uruchomienie samoleczących mechanizmów może wywołać szereg przejściowych zaburzeń w badaniach laboratoryjnych, np. niekiedy wzrasta odczyn opadania, obniża się poziom żelaza we krwi. Żelazo przemieszcza się wtedy do wątroby, gdzie jest niezbędne do uaktywnienia szeregu enzymów. Wzrost OB w trakcie diety jest korzystnym mechanizmem samoleczenia. Mianowicie wątroba zwiększa produkcję tzw. białek ostrej fazy i innych czynników, które działają przeciwzapalnie i przeciwbólowo. W reumatoidalnym zapaleniu stawów, typowym objawem jest wysoki OB i niedokrwistość. Pod wpływem terapii warzywno-owocowej, OB wzrasta i niedokrwistość przejściowo się nasila, lecz równocześnie ustępują bóle stawów.

W późniejszym okresie zaczną cofać się nawet przykurcze w stawach. Zdarza się, że kryzysy ozdrowieńcze są traktowane przez pacjenta jako szkodliwy efekt terapii głodówkowej, co wynika z nieznajomości mechanizmów samoleczenia. Aby uzyskać zdrowie, wymaga to czasu, powtarzania cyklów terapii np. warzywno-owocowej na zmianę ze zdrowym żywieniem. Pojawianie się kolejnych kryzysów należy traktować jako naturalną walkę organizmu z czynnikami wywołującymi chorobę, jak miażdżyca, zwyrodnienia tkanek, bakterie, złogi itp.

Dziś znów jest ze mną siostra Józefa, która ma szereg własnych doświadczeń w leczeniu dietą warzywno-owocową. Proszę ją o podzielenie się z Państwem swoimi obserwacjami.

Wypowiedź siostry Józefy: *Chciałabym zwrócić uwagę na to, że należy stopniowo odstawiać leki w czasie kuracji warzywnej. Pamiętam takiego księdza, który nie zredukował leków obniżających ciśnienie podczas kuracji warzywnej (która także obniża ciśnienie) i zdarzyło mu się omdlenie.*

Z kolei innym przykładem nasilenia się objawów w czasie diety było u mojej mamy zaostrzenie alergicznej choroby skórnej. Poprzednio chorowała na przykre, swędzące guzy, których wyleczenie było trudne. Gdy zastosowała dietę „oczyszczającą", to znów pojawiły się te guzy, ale już po dwóch, trzech dniach zniknęły bez leczenia.

Inna osoba miała w trakcie diety nieżyt alergiczny nosa, który objawił się kichaniem. Ta osoba w wieku dziecięcym była alergikiem.

Jeden ze znajomych miał w czasie diety biegunki i pytałam go, czy doznał kiedyś jakiegokolwiek zaburzenia w funkcjonowaniu przewodu pokarmowego i wtedy to potwier-

dził. Więc mimo ustąpienia choroby, w czasie diety „oczyszczającej" nastąpiło zaostrzenie objawów i nawrót choroby sprzed wielu laty.

Chciałam zaznaczyć, że stosowanie tej diety nie jest takie proste, ponieważ spotyka się wiele krytyki i ataków pod jej adresem. Czasami choroby, zupełnie nie związane z leczeniem „surówkowym", są łączone z tego rodzaju terapią. Miałam znajomego, który przyszedł do mnie ze skargą, że jest na diecie i że dotychczas czuł się bardzo dobrze, ale teraz wystąpiła u niego alergia skórna. Ponieważ jestem lekarzem i pracowałam przez pewien okres czasu na dermatologii, więc poprosiłam, żeby mi pokazał jak ta alergia wygląda – a był to tylko świerzb. Nieufność do diety jest czasami wielka. Nasuwają mi się słowa Pisma Świętego, gdy Pan Jezus powiedział „ten rodzaj sztana można wyrzucić modlitwą i postem". Myślę, że ta dieta jest jakimś środkiem egzorcyzmującym, bo inaczej nie potrafię zrozumieć wielu ataków i sprzeciwów, które wywołuje jej stosowanie. Nasuwają mi się inne słowa z Pisma Świętego, o męczeństwie św. Szczepana, zanotowane w Dziejach Apostolskich: „A oni podnieśli wielki krzyk, zatkali sobie uszy i rzucili się na niego wszyscy razem". I ja takie „rzucanie" się na dietę też dostrzegam wśród ludzi.

Moja koleżanka lekarka, która nigdy nie przystąpiła do tej diety, chociaż słyszała o niej i widziała dobre jej efekty, tak bardzo ją zwalcza, wszystkim odradza jak tylko może, i to bez żadnego uzasadnienia. Ojciec jej był chory. Mówiłam jej, niech spróbuje tej diety. Ale ona była przeciwna, diety nie zastosowała i ojciec przedwcześnie umarł.

Inna moja koleżanka była chora na reumatyzm, powiedziałam jej o diecie, przeszła dietę „oczyszczającą", 6-tygodniową i zaraz po diecie zaczęła jeść mięso. Powiedziałam jej, że po diecie musi przejść na zdrowe żywienie, bo inaczej zniszczy wszystkie efekty tej diety. Nie posłuchała i dalej jadła mięso. Kiedy nastąpiło zaostrzenie wszystkich objawów reumatyzmu, narobiła wokół tej sprawy tyle szumu, że reumatyzm nasilił się z powodu diety. Co więcej, gdy poszła do szpitala, tam wszystkim wokoło mówiła, że dostała choroby z powodu tej diety. Przypomniałam jej, że przecież wcześniej była chora, gdyż to właśnie z powodu reumatyzmu podjęła dietę. Ona nadal wszystkim mówi, że choruje z powodu tej diety. Widzę, że zatyka uszy, nie kieruje się prawdą i natychmiast atakuje. I widziałam osobę, która została zniechęcona do diety po wcześniejszych fantastycznych efektach leczniczych. Osoby, które zniechęcały do tej diety, zubożyły sposób leczenia jedyny dla tej osoby, nie dając nic w zamian. Nie potrafię tego wytłumaczyć. Myślę, że Chrystus, który sam pościł i potem przystąpił do skutecznej walki z szatanem, jest jakimś przekonującym argumentem. Dotykamy tu w jakiś sposób złego ducha. On nie chce być wyrzucony, on atakuje bez wniknięcia w prawdę.

Reasumując, chciałabym pani doktor bardzo podziękować. Moja z nią współpraca już ponad 4 lata sprawia, że jestem człowiekiem zdrowym i że tyle moich znajomych jest przez nią wyleczonych. Niewątpliwie zetknięcie się z tą dietą i osobą pani doktor jest dla mnie wielkim darem Bożym.

Proszę o wypowiedź panią Halinę, która właśnie kończy 2 tydzień diety warzywno-owocowej:

Przed 2 miesiącami stwierdzono u mnie chorobę wieńcową. Od kilku lat choruję na dnę moczanową (mam guzki w okolicy ramion). Lekarze szpitalni zaproponowali mi operację by -pass, ale ja nie wyraziłam zgody i rozpoczęłam leczenie dietą. Już na 4 dzień diety ustąpiło kołatanie serca oraz bóle w stawach ramion i kolan. Wyrównało się też ciśnienie. Guzki zaczęły się cofać. Inne osoby, które stosowały dietę ze mną, także obserwowały już po 3–4 dniach diety obniżenie się wysokiego ciśnienia z 260 do 130 mmHg. Środki chemiczne, jak wiadomo są bronią obosieczną. Jestem więc szczęśliwa, że można wyleczyć się samą dietą.

DIETA – DIECIE NIERÓWNA

(Audycja IX, z 2 stycznia 1995 roku)

W ostatnich latach rośnie ilość doniesień naukowych, wskazujących na to, że sposób odżywiania ma znaczny wpływ na zdrowie. Odżywianie to wielki problem współczesnej cywilizacji. Człowiek musi jeść, aby żyć, ale co powinien jeść – o tym na ogół mamy zupełnie błędne pojęcie. Z samym jedzeniem wiąże się kilka funkcji:

1) odżywcza – budująca nasz organizm,

2) przyjemności – gdyż zaspokajamy popęd głodu,

3) towarzyska – gdy jedzenie umila nam czas.

Aby odżywianie spełniało właściwą rolę, powinno być jak najbardziej naturalne i urozmaicone. Ono ma zapewnić odtwarzanie zdrowych tkanek. Pokarm nie może „zaśmiecać" organizmu, lecz powinien go oczyszczać. Zdrowy i oczyszczony organizm sam dyktuje, czego mu aktualnie potrzeba. Istnieje nawet kierunek leczenia zwany anopsologią, gdzie zaleca się dobierać pokarmy na zasadzie instynktu. Ten instynkt jest szczególnie silnie rozwinięty u zwierząt, a także u małych dzieci. U dorosłych zdarza się, że jest on zagłuszany przez nałogi, zanieczyszczenia chemią i produktami przemiany materii.

Spotkałam się z interersującą hipotezą, tłumaczącą napady patologicznego głodu. Otóż organizm, który jest przeładowany toksynami, próbuje uruchomić mechanizmy oczyszczające. Ponieważ wiąże się to z nieprzyjemnymi doznaniami (ból głowy, głód), więc, aby je zagłuszyć, przyjmujemy dodatkowe porcje pokarmu, aby zahamować oczyszczanie. Jedna z pacjentek cierpiąca na otyłość, nadciśnienie i chorobę wieńcową – odczuwała już na początku postnej diety bóle głowy, była rozdrażniona, miała stan podgorączkowy. Ponieważ odczuwała też ssanie w żołądku, więc spożyła pokarm mięsny, po którym poczuła się jak nowo narodzona; wszystkie objawy ustąpiły. Ten przykład wskazuje, że często nieświadomie stajemy się ofiarami „nałogu pokarmowego".

Jaki kierunek żywienia warto stosować na co dzień? Tu zdania są podzielone. Uważam, że najzdrowszym kierunkiem żywienia jest żywienie naturalne, a więc jak najmniej przetworzone. Taki kierunek żywienia reprezentuje też makrobiotyka.

Kiedyś podczas badań lipidów krwi w grupie studentów żywiących się tradycyjnie stwierdziłam, że wszyscy mieli zaburzenia w proporcji tych lipidów z wyjątkiem jednej studentki, która – jak się później okazało – była od wielu lat wegetarianką. Badani studenci czuli się dobrze, jednakże stali się potencjalnymi kandydatami do rozwoju chorób cywilizacyjnych w przyszłości.

A jak problem żywienia ludzi chorych jest przedstawiony w tradycyjnej dietetyce?

Podręcznik dietetyki, przeznaczony dla techników technologii żywienia z 1990 roku zakłada, że dieta w żadnym schorzeniu nie może spowodować niedoborów pokarmowych i jest opracowana na zasadzie żywienia człowieka zdrowego, z uwzględnieniem jedynie pewnych modyfikacji. Podstawą żywienia jest tak zwana dieta łatwostrawna, to znaczy z wykluczeniem produktów trudnostrawnych. Taka dieta składa się z białego pieczywa, sucharków, biszkoptów, kaszy mannej, białego ryżu, makaronu, mleka, jaj, chudego mięsa, ryb, masła, śmietanki, olejów rafinowanych, warzyw, owoców, białego cukru, dżemów, galaretek, zup na wywarach mięsnych, majonezów, sosów itp.

W rozdziale poświęconym leczeniu choroby wrzodowej czytamy, że dieta lekkostrawna nie zdała egzaminu w tym przypadku, wobec tego zaleca się unikać pokarmów, które powodują dolegliwości bólowe. W rozdziale poświęconym zaparciu kurczowemu jelita, zaleca się eliminację błonnika i spożywanie białego pieczywa, margaryn, mięsa, jaj, dżemów. Dieta w chorobach wątroby zaleca śmietanę, margaryny, masło, mięso, sosy. Nie widziałam w swojej praktyce lekarskiej korzystnych efektów takiej diety lekkostrawnej. W pismach popularnych pojawiają się wciąż nowe przepisy diet przeciwmiażdżycowych, odchudzających itp. bazujących często tylko na białku i tłuszczach. Słynna dieta Hollywoodzka Hausera kładzie duży nacisk na zawartość białka, witamin i soli mineralnych, stąd dużo w niej mięsa, jaj, ryb, mleka oraz owoców i jarzyn. Warianty diet bywają rozmaite.

Żywienie chorych w szpitalach jest najczęściej stereotypowe i nie różni się od tego, które pacjenci stosują codziennie w domu, mimo że z powodu takiego żywienia utracili zdrowie. Niektórzy lekarze zalecają nawet, żeby jeść wszystko.

Obserwowałam kiedyś pacjentkę krańcowo wyniszczoną, z licznymi niedoborami białek i elektrolitów, której zalecono dietę kleikową z powodu nieżytu żołądka. Pacjentka była wierna tej diecie przez kilka miesięcy.

Pacjentom, przygotowywanym do zabiegu operacyjnego, zaleca się w wielu szpitalach tzw. dietę galaretkową. Są też inne diety jednostronne np. niskosodowa dieta wyłącznie mleczna lub ryżowa w nadciśnieniu. Są to przykłady diet niefizjologicznych, sprzecznych z Naturą.

Organizm, któremu dostarczono kleik z mąki, rozkłada skrobię na cukier. Cukier jest składnikiem odżywczym. Aby został przyswojony, musi zabrać z organizmu witaminy i sole mineralne. Wywołuje to duże zaburzenia w biochemicznej równowadze. Analogicznie jest w przypadku spożywania galaretek czyli żelatyny. Jest to białko niepełnowartościowe, które zuboży organizm w tzw. niezbędne aminokwasy i dodatkowo zanieczyści barwnikami chemicznymi. Bardziej korzystne jest w tych przypadkach picie samego soku z marchwi, który alkalizuje organizm i oczyszcza jelita.

Jak na tym tle przedstawia się dieta warzywno-owocowa? Pod względem kalorycznym odpowiada ona postowi. Surowe rośliny zawierają sok bogaty w witaminy, enzymy i mikroelementy oraz błonnik, który zapewnia sprawne oczyszczanie przewodu pokarmowego. Błonnik rozpuszczalny, zawarty np. w skórce od jabłek, obniża także cholesterol i zwiększa produkcję antykamiczych kwasów żółciowych.

Warzywa stosowane w kuracji zawierają jedynie śladowe ilości białek, tłuszczów i niewielkie ilości cukrów, które w połączeniu z biokatalizatorami (witaminy, enzymy, mikroelementy) usprawniają wiele szlaków metabolicznych. Ze względu na niską zawartość kalorii, organizm zapoczątkowuje procesy spalania materiałów zapasowych (odżywianie wewnętrzne). Każda komórka, która w tym czasie obumiera, wysyła sygnały za pośrednictwem mediatorów, co doprowadza do regeneracji czyli tworzenia odmłodzonych, zdrowych komórek. Jest to proces rewitalizacji.

Jestem pod wrażeniem pacjenta, który zgłosił się do mnie z powodu kilkuletniej ślepoty w wyniku odklejenia siatkówek. Chorował na cukrzycę i nadciśnienie. Laseroterapia nie odniosła żadnego skutku. Po zastosowaniu 6-tygodniowej diety warzywno-owocowej, a następnie 6-tygodniowego okresu zdrowego żywienia, pacjent uzyskał wzrok, siatkówki uległy regeneracji. Cukrzyca wprawdzie nie cofnęła się całkowicie, ale można było znacznie zredukować dawkę insuliny. Ustąpiły całkowicie objawy nadciśnienia i polineuropatii. Nastąpiła też normalizacja lipidów krwi.

Będąc przed kilku laty na I Światowym Kongresie Polonii Medycznej w Częstochowie, przedstawiłam wyniki leczenia dietą warzywno-owocową. Dyskusjom nie było końca. Wielu spośród lekarzy podzieliło się swoimi doświadczeniami w przywracaniu zdrowia pod wpływem bardzo nisko kalorycznej diety (*Very low calorie diet*). Nasze wyniki zgodnie potwierdziły zdolność organizmu do samoleczenia.

Proszę teraz siostrę Józefę o wypowiedź na temat aspektów religijnych postu.

Tradycja poszczenia jest znana. Żydzi pościli 2 razy w tygodniu. W Ewangelii św. Łukasza czytamy, że Faryzeusz mówi o swoim poście, który zachowuje.

Jest piękna książka wydana przez ojców Benedyktynów w Tyńcu pt. „Post modlitwą ciała i duszy", w której ojciec Anzelm pisze, że reguła św. Benedykta zaleca tego rodzaju post, rezygnację z mięsa i wina. Zwyczajem było spożywanie chleba, soli, roślin strączkowych, ziół, jarzyn, suszonych jagód, daktyli, fig. Mistrzowie mnisiej ascezy dawali surowym ziołom i jarzynom pierwszeństwo przed potrawami gotowanymi.

W kazaniu na Górze Chrystus pochwala praktykę zachowywania postu. Jednocześnie mówi, że trzeba pościć w ukryciu. Tam też daje przykład czterdziestodniowym postem.

Chciałam podać uwagi Ojców Kościoła na temat postu. I tak święty Atanazy pisze: „zauważ, co czyni post, leczy on choroby, wysusza nadmierne soki w organizmie, przepędza złe duchy, płoszy natarczywe myśli, nadaje duchowi większą przejrzystość, oczyszcza serce, leczy ciało i wiedzie w końcu człowieka przed tron Boży. Post jest ogromną siłą i niesie ze sobą przeogromne skutki".

Inny Ojciec Kościoła św. Bazyli pisze: „I gdyby wszyscy brali post za doradcę w postępowaniu, nic by nie stało na przeszkodzie, aby głęboki pokój panował na całej ziemi, a życie nasze nie byłoby tak pełne jęków i smutków, gdyby nim rządził post".

Chciałam jeszcze powiedzieć w jaki sposób Ghandi walczył o pokój? Posługiwał się właśnie postem. Uważał post za pewnego rodzaju zabieg polityczny, w którym modlitwa była świadectwem potwierdzającym, że jedynie Pan Bóg jest w stanie przemienić serce człowieka, dać mu pokój, a przez człowieka przemienionego przekazać pokój innym ludziom. Ghandi pościł sięgając bardzo głęboko. Pisze, że post ten powinien łączyć się z uczuciami przyjaźni w stosunku do tych, dla których tym sposobem chcemy wyprosić przemianę.

Post, wsparty modlitwą, może w stosunkach międzyludzkich coś zdziałać, gdyż jest wyznaniem własnej niemocy, a zarazem i znakiem solidarności z cierpieniem innych ludzi. Jest także znakiem jakiejś wielkiej nadziei na to, że Pan Bóg zna rozwiązanie tego problemu i może je urzeczywistnić. Jest to zdanie ojca Anzelma. Człowiek pokonany w swej niemocy, trzyma się Wszechmocnego i oddaje mu hołd najgłębszej czci. Upokarza się wobec Bożej nieskończoności i postem uwielbia Boga.

UKŁAD ODPORNOŚCIOWY NASZYM WEWNĘTRZNYM LEKARZEM

(Audycja X, z 16 stycznia 1995 roku)

Jedną z głównych przyczyn rozwoju chorób cywilizacyjnych jest niezgodny z Naturą sposób odżywiania. Konsekwencją tego jest nagromadzenie w organiźmie toksycznych produktów przemiany materii. Wielu z nas, nie zdając sobie sprawy z tego, że staliśmy się „niewolnikami pewnych pokarmów", nadal spożywa duże ilości mięsa, soli, ciastek, słodyczy, mocnej kawy. Z jednej strony ciało domaga się tego, co pobudza organizm i przynosi chwilową ulgę, zaś z drugiej strony tenże organizm dąży do eliminacji nagromadzonych toksyn.

Takie oczyszczenie jest możliwe z chwilą zaprzestania przyjmowania odżywczych pokarmów. Ponieważ post może wywołać uczucie osłabienia, a nawet pogorszenie samopoczucia, stąd niektórzy pacjenci, nie uświadamiając sobie tego okresu adaptacyjnego, stwierdzają, że nie odpowiada im zmiana diety i wracają do dalszego pobudzania organizmu przez te pokarmy. Konsekwencją tak utworzonego błędnego koła jest niezdolność organizmu do samooczyszczenia oraz rozwój szeregu chorób zwyrodnieniowych i infekcyjnych. Typową cechą chorób współczesnej cywilizacji jest ich przewlekłość i brak tendencji do samoistnego wyleczenia. Leki nie są w stanie usunąć zaburzeń przemiany materii, wywołanych nieprawidłowym żywieniem. Te zaburzenia można wyleczyć postem i naturalnym biologicznie pokarmem.

Już Hipokrates twierdził: „pozostawcie leki tam, gdzie są, jeżeli możecie wyleczyć chorego zalecając mu dietę”.

Dr Bieler w książce *Pożywienie najlepszym lekarstwem* tak pisze: „...ból, niedomaganie, choroba, wywodzą się z błędnego żywienia i stosowanych leków – cierpicie, bo jesteście przepełnieni substancjami toksycznymi, pochodzącymi ze źle skomponowanej diety, syntetycznych pokarmów, wyjałowionych, sztucznie barwionych, nasyconych sztucznymi zapachami, zbyt pobudzającymi; mało jecie warzyw i owoców, zbyt długo gotujecie naturalne pokarmy, brak wam ruchu i gimnastyki – wtedy toksyny blokują mechanizmy filtrujące i wydalające wątroby, jelit i skóry”.

A więc rzeczywistą przyczyną chorób są rozmaite toksyny, które muszą ulec eliminacji m.in. z żółcią do jelit i przez nerki z moczem. Gdy wątroba i nerki są „przeładowane” tymi substancjami, wówczas toksyny przedostają się do krwi i wydalane są drogą zstępczą przez płuca i skórę. Stąd często obserwuje się nieżyty oskrzeli, zapalenie płuc, czyraki skóry, trądzik, łuszczycę itp.

Niedawno leczyłam dietą pacjenta z powodu dużego stopnia otyłości i nadciśnienia.

Od wielu już lat cierpiał on także na łuszczycę, która okresowo zaostrzała się. Przed podjęciem diety miał on nieduże ognisko łuszczycy, na klatce piersiowej, ale już po kilku dniach postu na warzywach wystąpił bardzo intensywny wysiew zmian łuszczycowych, który objął niemal całe ciało. W tym czasie tracił na wadze, ciśnienie ulegało normalizacji i ogólnie czuł się dobrze. Po kilku tygodniach diety włączyliśmy olej z wiesiołka i Padmę, nie przerywając kuracji „oczyszczającej". Skóra zaczęła się oczyszczać ze zmian łuszczycowych. Obecnie pacjent kontynuuje okres zdrowego żywienia, schudł w ciągu 6 tygodni 15 kg, a ma jeszcze 10 kg nadwagi. Ciśnienie jest prawidłowe, nie przyjmuje żadnych leków. Na skórze widoczne są tylko resztkowe zmiany łuszczycowe.

W piśmiennictwie znalazłam opis leczenia łuszczycy 3-krotnymi kuracjami 10-dniowej głodówki. Wiadomo również z literatury, że łuszczyca współistnieje ze stłuszczeniem wątroby i obecnością we krwi dużej ilości kompleksów immunologicznych. Taka wątroba, która uległa stłuszczeniu, jest obładowana toksynami i nie jest w stanie oczyszczać krwi z kompleksów immunologicznych. Dopiero post, który usuwa stłuszczenie wątroby, doprowadza do eliminacji wszelkich zanieczyszczeń krwi, w tym kompleksów immunologicznych. Także układ immunologiczny oczyszcza się z tych blokujących czynników. Dodatkowo olej wiesiołkowy wbudowuje się w błony komórek immunologicznych, zapewniając przywrócenie ich funkcjonalnej sprawności, co doprowadza do zdrowia.

Jeżeli nie stosujemy postu, to wszelkie toksyny, kompleksy immunologiczne są gromadzone w tkankach, co wywołuje zmęczenie, niepokój, migreny. Aby usunąć stan zmęczenia, zwykle pijemy kawę. Toksyczne kwasy z kawy dodatkowo zanieczyszczają organizm i gromadzą się w tkankach. Kawa stymuluje nadnercza, co znów wywołuje krótki stan euforii. Kawa dodatkowo upośledza przyswajanie magnezu, pogłębiając stan zmęczenia. Złe samopoczucie i zmęczenie są w dzisiejszych czasach bardzo częstym objawem i mogą być wynikiem nie tylko stanu zanieczyszczenia organizmu toksynami, ale także wyrazem hipoglikemii (niedocukrzenia). Pamiętam pacjenta, którego przywiozło pogotowie ratunkowe jako chorego umysłowo. Był bardzo pobudzony, wykrzywiał twarz, nie mógł nic powiedzieć, tylko bełkotał. W końcu zorientowałam się, że chce coś napisać. Więc podałam mu kartkę i długopis, a on drżącą ręką napisał: GLUKOZA. Wszystko stało się jasne, natychmiast podaliśmy mu dożylnie glukozę i wszystkie objawy ustąpiły, stał się spokojny, zaczął normalnie mówić. Okazało się, że chorował na cukrzycę, wstrzyknął sobie insulinę, nic nie zjadł i doszło do hipoglikemii.

Zespół ten przebiega klinicznie pod postacią różnorodnych objawów klinicznych takich jak: wyczerpanie, depresja, bezsenność, niepokój, lęki, drażliwość, bóle i zawroty głowy, drżenie ciała, trudności koncentracji, zimne stopy i dłonie, niespołeczne zachowanie, nieopanowany głód m.in. słodyczy i ma wiele innych objawów. Hipoglikemia może imitować wiele takich chorób jak: opóźnienie umysłowe, alkoholizm, neurastenia, schizofrenia, choroba Parkinsona, epilepsja. A wystarczy zahamować huśtawkę insulinową przez całkowitą eliminację cukrów rafinowanych i zastąpienie ich węglowodanami, złożonymi w postaci produktów z pełnego zboża, warzyw i owoców, aby wszystkie te objawy ustąpiły.

Hipoglikemia poposiłkowa jest wywołana nadmiernym dowozem cukrów rafinowanych. Cukry te wchłaniają się szybko, powodują wyrzut insuliny i następową hipoglikemię. Cukry złożone wchłaniają się wolno, powodują powolny wzrost insuliny i nie doprowadzają do niedocukrzenia. Zatem właściwy biologicznie pokarm jest w stanie usunąć całą listę objawów chorobowych.

Zatrzymajmy się nad naszym „lekarzem wewnętrznym", którym jest układ odpornościowy. Lekarze różnych specjalności powinni w nim widzieć swego znakomitego sprzymierzeńca w dążeniu do utrzymania stanu zdrowia organizmu. Ten niezwykle precyzyjny układ przypomina dobrze zorganizowane społeczeństwo, gdzie poszczególne komórki wykonawcze są podporządkowane komórkom przywódczym i w zależności od sytuacji potrafią niszczyć, tolerować lub wspierać np. regenerację naszych komórek i tkanek. Układ odpornościowy sprawnie funkcjonuje dzięki produktom komórek immunologicznych, pełniących rolę przekaźników, które zapewniają porozumiewanie się w obrębie nie tylko układu odpornościowego, ale także układu hormonalnego i nerwowego.

Pożywienie stanowi materiał budulcowy, zaś post stanowi czynnik oczyszczający i regenerujący dla układu immunologicznego. Istnieje związek przyczynowy między zdrowiem, długością życia, a sprawnym układem odpornościowym. Dlatego w postępowaniu lekarskim należy rozważyć problem czy wspierać nasz centralny układ sterowniczy, jakim jest układ odpornościowy, czy też ograniczyć się do działań doraźnych, przeciwobjawowych, chwilowo łagodzących dolegliwości, jak antybiotyki, hormony sterydowe nadnerczy, czy hormony płciowe, których ubocznym działaniem jest upośledzenie funkcji układu odpornościowego.

Wśród terapii wzmacniających nasz układ immunologiczny można wymienić kuracje postne, olej wiesiołkowy i ziołowy lek o właściwościach immunokorekcyjnych o nazwie Padma 28. Takie postępowanie skutecznie zapobiega chorobom infekcyjnym, alergicznym, immunologicznym, hamuje starzenie się organizmu, sprzyjając regeneracji tkanek. Wielokrotnie obserwowałam korzystny efekt takiego postępowania w leczeniu nawracających infekcji górnych dróg oddechowych, czy nie gojących się owrzodzeń podudzi.

Już w trzeciej dobie kuracji warzywno-owocowej można było zaobserwować regenerację troficznie przebarwionej skóry podudzi, szybkie ustępowanie podskórnych wylewów po iniekcjach dożylnych, znikanie złogów cholesterolu odłożonych na powiekach, zwanych kępkami żółtymi. Tylko oczyszczony i sprawny układ immunologiczny jest w stanie wspomagać leczenie każdego procesu chorobowego.

WPŁYW OGRANICZEŃ POKARMOWYCH NA USTĘPOWANIE CHORÓB

(Audycja XI, z 30 stycznia 1995 roku)

Jak już była o tym mowa, ogromna liczba dolegliwości, chorób, zwyrodnień jest wywołana nieodpowiednim żywieniem. Każda komórka naszego ciała składa się z elementów, których dostarcza pożywienie. To my sami często przyczyniamy się do powstawania chorób, przez spożywanie nienaturalnych biologicznie pokarmów: zbyt obfitych, sztucznie przetworzonych, pozbawionych niezbędnych mikroelementów, witamin, nienasyconych kwasów tłuszczowych, zanieczyszczonych chemią. Takie odżywianie narusza prawa Natury i zaburza równowagę. Organizm traci zdolność samooczyszczania, a tym samym samoobrony.

Najczęściej niebezpieczeństwo dociera do naszej świadomości zbyt późno, gdyż sygnały alarmowe, które wysyła zagrożony chorobą organizm, nie są przez nas właściwie rozpoznawane. Stosując leki, tłumimy objawy alarmowe. Narasta toksemia i rozwija się choroba.

Aby przywrócić zdrowie, należy najpierw oczyścić organizm przez post. Posty były stosowane od wieków. Ostatnio coraz częściej pojawiają się w litaraturze medycznej opracowania na ten temat. Jest szereg ciekawych prac, które donoszą, że ograniczenie białka i kalorii w diecie u szczurów znacznie wydłuża przeżycie zwierząt. Jak wiadomo nadmierna ilość tłuszczów, zwłaszcza smażonych, powoduje zalew organizmu wolnymi rodnikami, które są niezwykle aktywne w uszkadzaniu błon komórkowych, lipidów, białek, enzymów, kwasów nukleinowych. Efektem działania tych cząsteczek jest rozwój chorób degeneracyjnych, zapalnych, nowotworowych i miażdżycy.

Udowodniono, że ograniczenie białka i kalorii w diecie zwiększa obronę przeciw wolnym rodnikom i zapobiega procesom degeneracji i starzenia. Ograniczenie w diecie białka i kalorii wiąże się nie tylko z obniżeniem wagi ciała, ale zapobiega starzeniu, zwiększa odporność immunologiczną, opóźnia dojrzewanie, hamuje powstawanie m.in. guzów sutków, a nawet chroni przed popromiennym uszkodzeniem białek. Przy tego rodzaju restrykcjach pokarmowych obserwuje się niższą temperaturę ciała i zwiększenie fizycznej aktywności.

W 1994 roku ukazała się praca, która udowadnia na modelu zwierzęcym, że ograniczenia pokarmowe redukują powstawanie nowotworów. Efekt jest widoczny, szczególnie w przypadku stanów przedrakowych. Ograniczenie pokarmów u myszy przez 95 dni powoduje eliminację ok. 15 proc. komórek normalnych i aż 85 proc. komórek przednowotworowych.

Czy restrykcje dietetyczne, a więc posty mogą chronić człowieka przed rakiem? Badania epidemiologiczne w wielu krajach potwierdziły związek między wysoką konsumpcją energii w postaci tłuszczu, a śmiertelnością w przebiegu raka sutka, jelita i prostaty.

Redukcja energii w diecie zmniejsza ryzyko raka. Zatem post może być korzystny w zapobieganiu rozwoju raka. Postawmy dodatkowe pytanie: czy także jest skuteczny w leczeniu raka u ludzi. Jak dotąd, brakuje takich badań.

Wciąż wzrasta liczba chorób, wywołanych wolnymi rodnikami. Do nich należy m.in. rak i miażdżyca, a także postępujące choroby degeneracyjne. Aby móc przeciwdziałać wolnorodnikowym uszkodzeniom, należy stosować nie tylko ograniczenia pokarmowe, ale także stosować antyoksydanty, jakie znajdują się np. w warzywach i owocach. Są to: beta karoten, witamina C i E.

Nasz dzisiejszy gość, pan Jerzy, jest moim pacjentem. Poznaliśmy się przed 3 miesiącami. Wówczas przyprowadziła go żona, gdyż samodzielnie nie mógł się poruszać. Był bardzo chory. Medycyna tradycyjna nie była w stanie mu pomóc. Zalecając dietę warzywno-owocową, zaproponowałam mu wyjazd do Torunia do Radia Maryja, aby po wyleczeniu dał świadectwo. Pan Jerzy nie chciał wierzyć, że będzie zdrowy, ale zgodził się i bez wahania zastosował razem z żoną 6-tygodniowy post na jarzynach i owocach. Oddaję mu głos:

Od 10 lat choruję na nadciśnienie tętnicze, chorobę wieńcową, zwyrodnienie stawów, nadwagę. Ważyłem 88 kg przy wzroście 168 cm. W ciągu ostatnich 5 lat byłem 7-krotnie zabierany przez pogotowie ratunkowe z powodu utraty przytomności, z sinicą. Badania wykazały, że było to niedokrwienie mózgu. Po przejściu paru metrów miałem zawroty głowy, a także bóle nóg. Nadciśnienie dochodziło do 230/120 mmHg. Miałem częste bóle serca po wysiłku, a nawet w spoczynku. Musiałem często przyjmować nitroglicerynę. Również cierpiałem na bóle brzucha, wywołane niedokrwieniem miażdżycowym jelit. Wciąż dokuczały mi bóle stawów, a zwłaszcza kręgosłupa. Duże zmiany w kręgosłupie były powodem drętwienia lewej ręki i nogi. Chodziłem z trudem, przygarbiony jak starzec, miałem wciąż obrzękłe powieki. Bałem się wychodzić z domu z obawy przed zasłabnięciem. Od wielu lat chorowałem na zapalenie zatok, katary, przeziębienia i zapalenie spojówek. W nocy źle spałem, budziłem się kilkakrotnie.

Nigdy w życiu nie zdawałem sobie sprawy, że żywienie może mieć taki wpływ na stan zdrowia. Całe swoje życie jadłem same niezdrowe pokarmy: mięso, smażone tłuszcze zwierzęce, alkohol, paliłem papierosy. Od 3 miesięcy zacząłem sotosować dietę warzywno-owocową. Obecnie czuję się bardzo dobrze. Schudłem 12 kg. Nie tracę już przytomności, nie mam żadnych zawrotów głowy ani obrzęków. Ustąpiły bóle stawów, głowy. Mogę chodzić po kilka kilometrów dziennie, bez bólu nóg. Ciśnienie jest dużo niższe. Cholesterol obniżył się z 360 do 210 mg%. Wypróżnienia mam prawidłowe, leków prawie nie potrzebóję. Przedtem przyjmowałem od 20 do 25 tabletek dziennie. Obecnie nie poznaje mnie otoczenie. Wyglądam dużo młodziej, poruszam się sprawniej i jestem wyprostowany, mniej nerwowy. Zbliżyłem się do Pana Boga i jestem Mu wdzięczny za przywrócenie mi zdrowia.

Widać więc, że przez stosowanie ograniczeń pokarmowych można uzyskać cofanie się m.in. miażdżycy. Dr Ornish kardiolog, który pracował u słynnego chirurga De Bakeya w Teksasie, jednego z pionierów chirurgii naczyń wieńcowych, obejrzał tyle *by-passów,* że postanowił leczyć swoich pacjentów radykalną dietą. W grupie 28 pacjentów z chorobą wieńcową stosował dietę, opartą na owocach, warzywach, zbożu, ziarnach roślin strączkowych, bez produktów zwierzęcych, za wyjątkiem białka jaja i filiżanki odtłuszczonego mleka. Zawartość cholesterolu w diecie była wyjątkowo niska i wynosiła 5 mg/dzień, gdy dla porównania przeciętna dieta zawiera około 300 mg cholesterolu dziennie. Doktor zalecał też ćwiczenia fizyczne. Przed i po pierwszym roku stosowania takiej diety wykonał u chorych koronarografię i stwierdził cofanie się zmian miażdżycowych. Światło naczyń wieńcowych uległo poszerzeniu o 16,5 proc., gdy w tym czasie w grupie kontrolnej pacjentów z chorobą wieńcową na diecie tradycyjnej naczynia wieńcowe uległy dalszemu zwężeniu o 18,5 proc. Jest to pierwsza tego typu praca kliniczna, która udowadnia w sposób naukowy możliwość cofania się miażdżycy naczyń wieńcowych, pod wpływem znacznych ograniczeń pokarmowych.

Blaszka miażdżycowa, która wyściela wnętrze naczyń wieńcowych, składa się z cholesterolu w ilości zaledwie 25 proc., a większość stanowi tkanka włóknista. Dlatego cofanie się miażdżycy, to nie tylko redukcja cholesterolu, ale także tkanki łącznej włóknistej.

Dieta warzywno-owocowa obniża w ciągu 6 tygodni poziom cholesterolu we krwi o 23 proc. Taki sam procent obniżenia cholesterolu uzyskuje się pod wpływem leku hamującego syntezę cholesterolu – Lovastatyny. Dieta zwiększa poziom cholesterolu antymiażdżycowego HDL w stopniu 3-krotnie większym, niż Lovastatin. Szereg danych wskazuje, że pod wpływem restrykcji pokarmowych makrofagi, uwięźnięte w blaszce miażdżycowej ulegają aktywacji i trawią nie tylko cholesterol, ale też i tkankę włóknistą blaszki miażdżycowej, co doprowadza do cofania się miażdżycy. Leki obniżające cholesterol pozostają bez wpływu na tkankę włóknistą blaszki, a także na wagę ciała i choroby współistniejące. Jednakże dieta bardzo nisko kaloryczna doprowadza do ustępowania chorób współistniejących i przywraca stan równowagi w organizmie.

LECZENIE CUKRZYCY DIETĄ

(Audycja XII, z 13 lutego 1995 roku)

Dziś zatrzymam się nad leczeniem cukrzycy dietą. Wyróżniamy dwa rodzaje cukrzycy: typ I czyli cukrzyca młodzieńcza, insulinozależna, kiedy trzustka nie produkuje insuliny, a leczenie polega na codziennym wstrzykiwaniu insuliny i typ II – cukrzyca ludzi dorosłych, insulinoniezależna, kiedy trzustka produkuje insulinę i we krwi stwierdza się wysoki jej poziom. W tym przypadku komórki organizmu utraciły wrażliwość na insulinę. Ten typ cukrzycy jest często skojarzony z otyłością brzuszną, nadciśnieniem, chorobą niedokrwienną serca, zaburzeniami gospodarki lipidowej i innymi (tzn. zespół X).

Im dłużej trwa cukrzyca, tym częściej dochodzi do powikłań w postaci mikroangiopatii (tj. retinopatia i nefropatia) i makroangiopatii, objawiającej się chorobą wieńcową, miażdżycą zarostową kończyn dolnych, udarem mózgu, neuropatią. Retinopatia występuje w 50 proc. przypadków cukrzycy I typu, trwającej długo (25 lat). Interesującą obserwacją było to, że u osób leczonych insuliną, retinopatia występowała częściej, bo aż w 40 proc.

przypadków, zaś w grupie nie leczonej insuliną, takie powikłanie występowało zaledwie w kilku procentach. Ostatecznie nie rozstrzygnięto, czy leczenie insuliną ma wpływ na częstość występowania powikłań. Powikłania są jedną z głównych przyczyn śmiertelności chorych na cukrzycę. Dlatego bardzo istotną rolę powinna odgrywać profilaktyka.

W przypadku cukrzycy typu I, jedynym rozwiązaniem jest podawanie insuliny. Insulina nie zawsze chroni przed występowaniem powikłań. Obserwowałam wielokrotnie korzystny efekt diety warzywno-owocowej w ustępowaniu powikłeń w czasie przebiegu cukrzycy I typu. Taka dieta przywraca gospodarkę lipidową i przemianę kwasu moczowego do normy, zapobiega wylewom krwi do ciałka szklistego oka. Zdarzają się przypadki przyrastania odklejonych siatkówek i przywrócenia wzroku. Również ciśnienie w gałce ocznej (jaskra) może ulec normalizacji. W tym typie cukrzycy nie udaje się na ogół całkowicie odstawić insuliny. Można tylko zmniejszyć jej dawkę. Wprowadzenie wysiłku fizycznego (gimnastyka, jazda na rowerze) u chorych z cukrzycą I typu, pozwala niekiedy na obniżenie dawki wstrzykiwanej insuliny. Przy próbach obniżania dawki insuliny należy być pod kontrolą lekarza ze względu na niebezpieczeństwo niedocukrzenia.

Cukrzyca typu II stanowi szczególne wskazanie do stosowania postów oczyszczających takich, jak np. dieta warzywno-owocowa. Pod wpływem zbyt niskiego dowozu energii dochodzi do obniżenia masy ciała i do przywrócenia komórkom wrażliwości na insulinę. Równocześnie obniży się poziom insuliny, co uruchomi wiele przemian metabolicznych w organizmie m.in. mogą ustąpić obrzęki, nadciśnienie, nerwica. Obniża się też poziom trójglicerydów i cholesterolu LDL (miażdżycorodny), a wzrasta cholesterol HDL (antymiażdżycowy). Dzięki diecie udało się uratować nogi przed amputacją w przypadku tzw. stopy cukrzycowej. Stopy stały się cieplejsze, martwe tkanki zostały oddzielone wałem demarkacyjnym od zdrowych tkanek. Skóra, która często jest troficznie przebarwiona, złuszcza się i na jej miejsce regeneruje skóra zdrowa. Pączkowanie młodej skóry widać bardzo szybko, bo już w trzeciej dobie kuracji. Niekiedy w krańcowo niedokrwionej kończynie schodzą paznokcie, a na ich miejscu wyrastają zdrowe. Zwykle chromanie cofa się i chory może przejść dłuższe odcinki drogi. Jednocześnie ustępują zaburzenia neurologiczne typu przeczulica skóry, bóle kończyn, tzw. polineuropatia.

W przebiegu cukrzycy często jest osłabiona odporność immunologiczna i chorzy mają wiele powikłań bakteryjnych. Jeden z pacjentów chorował na cukrzycę, przebył też zawał serca. Trafił do szpitala z powodu gronkowcowego ropnia prostaty i ropowicy skóry. Doszło do zapalenia kości. Zastosowano 3-tygodniową kurację owocowo-wyrzywną, uzyskując utratę 7 kg wagi i normalizację poziomu cukru we krwi. Można było przerwać podawanie insuliny. Chory otrzymywał okresowo antybiotyki i ziołowy immunomodulator Padmę. Obecnie minęło 5 lat obserwacji i pacjent jest zupełnie zdrowy.

Dla ilustracji wpływu diety warzywno-owocowej w leczeniu cukrzycy II typu zaprosiłam do Studia pana Eugeniusza, którego proszę o wypowiedź:

Mam 51 lat. Na cukrzycę choruję od 14 lat. Byłem na lekach doustnych, a od 4 miesięcy stosuję insulinę w dawce 72 j. Miałem złą odporność, często chorowałem na katary, zapalenie gardła, płuc. Stwierdzono u mnie również miażdżycę, nadciśnienie, zmiany zwyrodnieniowe w kręgosłupie i stawach biodrowych. Przyjmowałem duże ilości leków. Po przejściu na insulinę nastąpiło nasilenie miażdżycy w nogach. Poprzednio mogłem przejść około 2 km bez bólów nóg. Po 2 tygodniach brania insuliny nie mogłem przejść więcej jak 200 m, gdyż sztywniała mi zwłaszcza lewa łydka. Bóle nóg i stawów występowały również w spoczynku, miałem uczucie stałego zmęczenia, apatii i znużenia. Mój organizm działał jak barometr, mogłem przepowiadać pogodę. Podstawą mojego żywienia było mięso i jego przetwory. W pewnym okresie moja waga wynosiła 112 kg, przy wzroście 176 cm.

Przed 2 miesiącami rozpocząłem 6-tygodniową dietę warzywno-owocową. Straciłem 16 kg wagi ciała. Jako ciekawostkę mogę powiedzieć, że mój brat w tym samym okresie diety stracił aż 20 kg. Po 3 dniach diety została u mnie odstawiona insulina i włączono leki doustne, które po 3 dalszych dniach odstawiono. Od 2 miesięcy nie biorę żadnych leków i poziom cukru mam w normie. Również cholesterol zmniejszył się z 258 do 103 mg%. Przed rozpoczęciem kuracji byłem prawie unieruchomionym inwalidą. W tej chwili jestem więcej niż szczęśliwy. Po zastosowaniu diety mogę chodzić ile chcę, mogę spokojnie spać bez bolów, już nie jestem „barometrem". Spadł ze mnie obowiązek przyjmowania leków, jak również insuliny. Polecam wszystkim chorym stosowanie tej diety jako doskonałego leku.

U jednego z naszych chorych udało się w trakcie diety odstawić aż 100 j. insuliny i już mija 5 rok, jak nie ma cukrzycy ani skazy moczanowej. Schudł prawie 30 kg i jest zdrowy. Od 1986 roku do chwili obecnej obowiązują zalecenia dietetyczne dla chorych na cukrzycę, opracowane przez Amerykańskie Towarzystwo Cukrzycowe, które w praktyce nie różnią się od przeciętnego żywienia. Obserwuję na co dzień w szpitalu, jak pacjenci z cukrzycą otrzymują węglowodany w postaci białego pieczywa, makaronów, ziemniaków, a jedynym zakazem są objęte dżemy i cukier. Ta dieta nazywa się wprawdzie cukrzycową, ale w praktyce nie pozwala ona na wyleczenie cukrzycy. Na takiej diecie zdarza się, że trzeba jeszcze zwiększyć dawkę insuliny. Waga ciała utrzymuje się na wysokim poziomie.

W żywieniu chorych z cukrzycą trzeba uwzględnić tzw. błonnik rozpuszczalny, który zawarty jest w takich warzywach, jak marchew, kapusta, rzepa, buraki, kalafior, brukselka, brokuły, selery, a także w zbożach takich, jak pełny ryż i owies. Jak podaje dr Guerra, spożywanie warzyw z dużą zawartością błonnika, rozpuszczalnego około 20 minut przed jedzeniem, może zredukować przyswajanie tłuszczu z 95 do 54 proc. Rozpuszczalny błonnik nie upośledza wchłania-nia witamin i mikroelementów. Błonnik zwalnia przyswajanie cukru, co chroni przed gwałtownym wzrostem poziomu glukozy we krwi, zapobiega hipoglikemii poposiłkowej. Wysoka temperatura, a więc ogrzewanie niszczy rozpuszczalny błonnik. Błonnik nierozpuszczalny przyspiesza pasaż jelitowy, a rozpuszczalny zwalnia. W sumie te dwa rodzaje błonnika zapewniają optymalny czas przejścia pokarmu przez jelita. W codziennym żywieniu chorych na cukrzycę, trzeba uwzględnić przede wszystkim razowe pieczywo, grube kasze, ziarno roślin strączkowych, olej z nasion wiesiołka. Pragnę zwrócić uwagę na konieczność czynnego ruchu dla chorych na cukrzycę. Stwierdzono, że ćwiczenia powodują uruchomienie podobnych mechanizmów, jak głodówka. Ruch doprowadza do redukcji masy ciała, zwiększa wrażliwość receptorów na insulinę oraz zwiększa stężenie antymiażdżycowego cholesterolu HDL. Po samej intensywnej gimnastyce często udaje się zredukować dawkę insuliny czy leków przeciwcukrzycowych.

FIZYCZNY I DUCHOWY ASPEKT POSTU

(Audycja XIII, z 27 lutego 1995 roku)

Dziś spotykam się z Państwem w szczególnym okresie: za 2 dni rozpoczyna się okres Wielkiego Postu. W związku z tym pragnę gorąco zachęcić do podjęcia postu przede wszystkim ze względów religijnych, gdyż post, obok modlitwy i jałmużny, to najważniejszy dobry uczynek. Polsce potrzeba postu, potrzeba uzdrowienia.

Organizm wymienia z otoczeniem wszystkie atomy, z których jest zbudowany, natomiast trwała jest jedynie forma, kształt i funkcja i dlatego każdy człowiek jest inny i niepowtarzalny. W przypadku odłożenia złogów w organizmie np. blaszki miażdżycowej w ścianie naczynia, czy też złogów kwasu moczowego w stawach, te zmiany pozostają już na stałe, nie obserwuje się tendencji do samoistnego ich ustępowania. Przeciwnie złogi z czasem mogą narastać. Postępuje zwyrodnienie całego organizmu. W takiej blaszce miażdżycowej zachodzi wciąż wymiana materii, blaszka podlega ciągłej odnowie, ale nie cofa się. Miażdżyca może cofać się jedynie pod wpływem dużych ograniczeń białka, tłuszczu i cukru w diecie. Zatem post jest najlepszym lekarstwem, które przywraca zdrowie.

Są dwa aspekty postu. Pierwszy wiąże się z dobrowolnym wyrzeczeniem przyjmowania pokarmów, co jest świadomym aktem naszej woli i ma wielką wartość duchową. Drugi aspekt postu to oczyszczanie organizmu ze złogów w sensie fizycznym, co wiąże się z naturalnym przywracaniem zdrowia. Stosując posty oczyszczające współdziałamy z prawami Natury. Powstrzymanie się od przyjmowania pokarmów doprowadza do rozszczepienia własnych zasobów tłuszczowych. Zostają uwolnione m.in. nienasycone kwasy tłuszczowe, z których organizm syntetyzuje biologicznie czynne substancje takie, jak witaminy, hormony, mediatory przeciwzapalne i przeciwmiażdżcowe. Jest to tzw. odżywianie wewnętrzne. Końcowym produktem rozpadu tłuszczów są ciała ketonowe, które około trzeciego czy czwartego dnia postu zmieniają równowagę kwasowo-zasadową w stronę kwaśną. Jest to ważny okres odżywiania wewnętrznego.

Wraz z zakwaszeniem organizmu następuje zwiększone przyswajanie dwutlenku węgla i azotu przez komórki. Jak podaje dr Wojtowicz w książce *O leczniczym głodowaniu*, wraz z podwyższonym przyswajaniem dwutlenku węgla uruchamia się system analogiczny do fotosyntezy, który jest najbardziej doskonałym systemem syntezy biologicznej w naturze, który doprowadza do budowy wyższej jakości kwasów nukleinowych i białek, co wiąże się z odmłodzeniem, a więc regeneracją tkanek. Dość istotnym problemem jest równoczesna regeneracja receptorów błon komórkowych. Zostaje przywrócona wrażliwość receptorów m.in. dla insuliny, a więc ustępuje zespół X, tj. nadciśnienie, cukrzyca typu II, miażdżyca, otyłość i hipercholesterolemia.

Starzejące się komórki, których podziały są zbyt wolne, przyjmują postać młodych komórek. Normalizują się przemiany białkowe, lipidowe. Krew oczyszcza się ze wszystkiego co zbędne, a plazma krwi staje się przeźroczysta. Już po 2–3 dniach postu obniża się wydzielanie kwasu solnego i zaczynają przesiąkać do światła żołądka nienasycone kwasy tłuszczowe, które tłumią uczucie głodu. Obserwowałam zanikanie pociągu do alkoholu i tytoniu. Ustępują reakcje alergiczne, kurcz oskrzeli w astmie. Podwzgórze i przysadka aktywizują receptory wydzielające endorfiny, które są wewnętrznymi środkami narkotyzującymi tak, że w wielu przypadkach obserwuje się ustąpienie bólów np. migrenowych, stawowych, newralgicznych itp.

W przypadku przewlekłej infekcji bakteryjnej leczenie antybiotykami bywa często nieskuteczne. Mikroorganizmy znajdują się w osłonie ochronnej, co uniemożliwia ich zniszczenie. Dopiero podczas postnych kuracji osłony te są niszczone przez bardziej aktywny układ enzymatyczny i odpornościowy. Wielokrotnie obserwowałam w takich przypadkach, około siódmego dnia diety warzywnej, odczyn gorączkowy i wzrost OB.

U jednego z naszych pacjentów z bakteryjnym zapaleniem wsierdzia na zastawce serca znajdowała się zakażona gronkowcem skrzeplina, co groziło w każdej chwili jej oderwaniem i zatorem do mózgu. Leczenie antybiotykami trwające trzy miesiące, nie odniosło żadnego skutku. Dopiero po włączeniu diety warzywno-owocowej nastąpiła reakcja: około 7 dnia pojawiła się gorączka, narósł OB, poczem chory przestał gorączkować, odczyn OB uległ normalizacji, a skrzeplina samoistnie rozpuściła się. Nie było żadnych powikłań zatorowych. Minęły już 3 lata a pacjent do dzisiaj jest zdrów. Utajone infekcje zwykle uaktywniają się pod wpływem postu, co w końcu doprowadza do zupełnego wyleczenia np. zatok, migdałków, ucha środkowego, ustępuje opryszczka itp. Wielu z pacjentów po takiej kuracji przestaje się przeziębiać.

Kuracje postne są skuteczne także w leczeniu zakrzepów naczyniowych. Często goją się otwarte od lat żylakowe owrzodzenia podudzi. Jedna z pacjentek od siedmiu lat cierpi na owrzodzenia podudzi. Obie kończyny stanowią jedną ranę, z których sączy wydzielina ropna. Mięśnie są częściowo objęte martwicą zapalną. Ma dużą nadwagę. Medycyna jest bezradna. Różne metody leczenia nie powiodły się. Podjęliśmy próbę leczenia postem na warzywach. Jest aktualnie w trakcie 5 tygodnia kuracji. Ustąpiła cuchnąca, ropna wydzielina. Pojawia się nowa ziarnina. Wokół rany narasta nowa skóra. Cofają się troficzne przebarwienia skóry. Zaczynają się regenerować mięśnie i powięzie mięśniowe. Nogi przestały boleć. Chora chodzi, co było dotąd niemożliwe.

Inna z naszych pacjentek ciepiała na zakrzepowe zapalenie tętnicy szyjnej i ramieniowej. Od 20 lat nie miała na lewej ręce ani tętna, ani ciśnienia. Dodatkowo cierpiała na drżenia parkinsonoidalne, miała chromanie w nogach i chorobę wieńcową. Jej skóra była pokryta zmarszczkami i przedwcześnie postarzała. Odżywiała się głównie mięsem. Paliła papierosy. Już po 3 tygodniach diety warzywnej zmniejszyło się chromanie, bóle spoczynkowe i drżenia ciała. Pojawiło się tętno i ciśnienie. Po dalszych 3 tygodniach mogła swobodnie przejść 3 km. Skóra twarzy wygładziła się i odmłodniała. Tętno i ciśnienie były teraz identyczne na obu kończynach. Gdy prosiłam radiologa o badanie naczyniowe u tej chorej leczonej warzywami, nie uwierzył w skuteczność eksperymentu i odpowiedział, że nie ma czasu na żarty. Pouczył mnie, że w takich przypadkach należy dokonać przeszczepu naczyniowego. Zdaję sobie sprawę z tego, że trudno uwierzyć w samoleczące zdolności naszego organizmu. Przecież na co dzień nie spotyka się leczenia postami oczyszczającymi.

Tarnowski w książce *Zdrowie dla każdego* zachęca do słuchania własnego organizmu, ponieważ jest on najlepszym laboratorium i najdoskonalszym lekarzem. Autor zwraca uwagę, aby przestawić się na zdrowe żywienie i aktywnie wspomagać organizm w procesie oczyszczania z toksyn.

Człowiek jako element Wszechświata podlega prawom Natury. Prawa te są niezmienne, nie możemy w nie ingerować i dlatego musimy się do nich dostosować. Musimy wprowadzić zdrowy, zgodny z Naturą styl życia.

Cywilizacja rozwinęła się w złym kierunku, zignorowała prawa Natury i powiązanie człowieka ze środowiskiem. Wprowadziła do organizmu szereg środków chemicznych, zmodyfikowała naturalne pokarmy w „wybrakowaną", przerobioną przemysłowo żywność.

I tu z pomocą przychodzi post, dzięki któremu człowiek staje się wolny od wszelkich nałogów, spokojny, szczęśliwy i zdrowy.

Gościmy dziś w Studiu niestrudzoną organizatorkę pielgrzymek do Medjugorie, którą poznałam w ubiegłym roku, gdy razem jechałyśmy do Medjugorie. Zachęciłam ją do podjęcia postu na warzywach. A teraz oddaję jej głos.

„Popatrzmy jak wielką miłością obdarzył nas Bóg". Od prawie 26 lat cierpię na masywne obrzęki nóg. Przed rokiem zachorowałam na zakrzepowe zapalenie żył. Podjęłam 6-tygodniowy post warzywny. Już po kilku dniach znikają obrzęki nóg. W 4. tygodniu pojawia się zaczerwienienie na pośladku, które rozwija się z dnia na dzień, trwa około 5 tygodni, aż samoczynnie znika. Był to tzw. kryzys, spowodowany zapaleniem pośladka, które odezwało się sprzed 40 lat, kiedy to jako dziecko leżałam w szpitalu na ropień pośladka po zastrzyku. Jak tylko wróciłam do normalnego jedzenia, nogi były znów opuchnięte. Podejmuję następne próby postu i zawsze jest poprawa.

Najistotniejsze w tym poście jest uzdrowienie duszy. To właśnie przez post Pan dotyka naszą duszę i ją również uzdrawia. Post działa na duszę kojąco jak balsam, otwiera nasze serca. Człowiek staje się bardziej wyciszony i mniej nerwowy. Zapraszajmy więc Jezusa, aby Jego pokój był w naszym sercu. Otwierajmy się na modlitwę.

Nigdy nie mogłam trwać długo w kontemplacji z Jezusem; zaraz zasypiałam, czy nie wiedziałam, co mówić do Pana. Teraz rozumiem, że mogę trwać długo na kolanach w milczeniu, w zjednoczeniu z Panem. Spowodowało to każdego dnia wzrost odkrywania Boga w moim sercu. Widzę Go w drugim człowieku, poznaję bardziej moje niedoskonałości, staję się bardziej uwrażliwiona na grzech. Chciałabym zachęcić wszystkich, którzy chcą coś ofiarować Panu w czasie zbliżającego się postu 40-dniowego, aby wspólnie włączyli się z nami w ten tak bardzo potrzebny dzisiejszemu światu – post pokutny, aby wspólną potęgą modlitwy i postu pokonać wszelkie zło. Pan z pewnością pragnie, abyśmy byli zdrowi. Ale oddajmy Mu to, co najlepsze dla ciała – pokarm. Spójrzmy na Matkę Najświętszą. Maryja oddała Bogu to, co najlepsze: „Najlepszą cząstkę", której nigdy nie została pozbawiona. Prośmy Boga, aby nam dopo-

mógł wytrwać w poście. Kiedy to w Środę Popielcową na znak pokuty zostaną nasze głowy posypane popiołem, stańmy wspólnie z Mojżeszem, aby błagać Pana o przebaczenie za wszelkie grzechy narodu.

W sobotę 25 lutego mieliśmy dzień skupienia w naszym apostolacie Królowej Pokoju. Wtedy podjęliśmy post Daniela, ten post warzywny w intencji przebłagania Boga za grzechy polskiego narodu. Oddajmy się całkowicie Panu, aby to On był gospodarzem naszych dusz i ciał. Oddajmy Mu całkowicie swoją wolę. Zatem zachęcam wszystkich do podjęcia wspólnego postu. Popatrzmy jak Mojżesz sam jeden postem uprosił Boga, aby nie ukarał jego ludu. A nas jest tylu! Ufam Bogu, że będzie nas wystarczająco dużo, aby u progu tego Nowego Roku uprosić Pana, by nasz naród był silny Bogiem.

Pan da siłę swojemu ludowi! On jest mym Bogiem, nie jesteśmy sami, w Nim nasza siła!. Amen. Chwała Panu!

PRZEPISY DIETY WARZYWNO-OWOCOWEJ

Na życzenie wielu radiosłuchaczy podajemy przykładowe przepisy 2-tygodniowej diety codziennej warzywno-owocowej, oraz zdrowego żywienia.

Istotą leczenia chorób cywilizacyjnych żywieniem jest w pierwszym etapie kuracja „oczyszczająca", polegająca na czasowym powstrzymaniu się od spożywania pokarmów bogatobiałkowych, bogatotłuszczowych oraz bogatowęglowodanowych. W drugim etapie stosuje się zdrowe żywienie.

Dieta warzywno-owocowa spełnia kryteria kuracji „oczyszczającej" (post), a ponadto ma tę zaletę, że dostarcza wielu bezcennych biokatalizatorów i błonnika.

W czasie kuracji zaleca się spożywać następujące warzywa i owoce:

– korzeniowe: marchew, seler, pietruszka, chrzan, burak, rzodkiew, rzepa;

– liściaste: sałata, seler naciowy, zielona pietruszka, jarmuż, rzeżucha, koper, zioła;

– cebulowe: cebula, por, czosnek;

– psiankowate: papryka, pomidor;

– kapustne: kapusta biała, czerwona, włoska, pekińska, kalafior, kalarepka;

– dyniowate: dynia, kabaczek, cukinia, ogórki;

– owoce: jabłka, cytryny, grapefruity.

W tym czasie nie należy spożywać roślin strączkowych (bogate w białko i tłuszcze), ziemniaków (bogate w skrobię), ziarna zbóż (bogate w skrobię i białko), innych ziaren i orzechów (bogate w tłuszcze i białko), słodkich owoców, jak banany, gruszki, śliwki itp. (bogate w cukry), ani olejów (tłuszcz). Spożywanie tego rodzaju wysokoodżywczych roślin jest równoznaczne z zapoczątkowaniem odżywiania „zewnętrznego" i zahamowaniem odżywiania „wewnętrznego".

Warzywa i owoce można spożywać w postaci:

a) soku z warzyw i owoców,

b) surówek warzywnych, surowych zup warzywnych,

c) warzyw gotowanych, duszonych, zup,

d) warzyw fermentowanych (kiszonych),

e) wywarów z ziół, warzyw, owoców suszonych lub surowych,

f) owoców.

Ilość spożywanych warzyw i owoców jest dowolna. W przypadku braku apetytu można pić tylko soki, ale wówczas bardzo ważnym problemem są codzienne wypróżnienia. Dłuższe kuracje sokowe należy prowadzić pod kontrolą lekarza.

Kuracje warzywno-owocowe można prowadzić samemu, gdy nie przyjmujemy żadnych leków. W przypadku stosowania leków chemicznych, należy być pod kontrolą lekarza. Tylko lekarz może w miarę poprawy klinicznej stopniowo redukować i odstawiać dotychczas stosowane leki. W przypadku nie odstawienia leków, istnieje niebezpieczeństwo pojawienia się działań ubocznych polekowych. Niektóre leki hamują samoleczące zdolności organizmu (np. hormony, beta blokery, tiazydy, leki przeciwzapalne i in.).

Pacjenci chorzy na cukrzycę i przyjmujący insulinę, powinni być leczeni szpitalnie ze względu na konieczność całodobowej kontroli cukru, w trakcie redukcji dawek insuliny.

Kurację można prowadzić przez okres 6 tygodni lub krócej np. 2 tygodnie i następnie stosować „zdrowe żywienie". Szczególnie korzystne efekty lecznicze można uzyskać dzięki systematycznym powrotom do diety warzywno-owocowej np. 1 lub 2 tygodnie w miesiącu.

Dzięki dużej zawartości błonnika w diecie, który oczyszcza jelita, nie zaleca się stosowania lewatyw. W razie zaparć można pić, zwłaszcza rano, wywar z warzyw z siemieniem lnianym i łyżką otrębów, wody mineralne np. Zuber, Kryniczanka, wodę Jana, a także wodę z kiszonych buraków, ogórków albo stosować zioła przeczyszczające (senes, raphacholin, rzewień itp.). W przypadku uregulowania wypróżnień nie odczuwa się głodu ani słabości.

Szczególnie godnym polecenia jest stosowanie codziennej gimnastyki i spacerów na świeżym powietrzu.

Uwaga! Pacjenci z chorobami przewodu pokarmowego, np. z chorobą wrzodową żołądka, źle tolerują surówki i dlatego zaleca się im przeprowadzenie wstępnej, oczyszczającej kuracji sokowej. Polega ona na piciu soków z marchwi w ilości od 2 do 3 szklanek dziennie przez 3 kolejne dni. Można także pić herbatę ziołową, wodę mineralną nie gazowaną, a także wywar z warzyw (wieczorem zalać 1 łyżeczkę siemienia lnianego i 1 łyżeczkę otrębów pszennych, 1 szklanką gorącego wywaru z warzyw i pić rano na pusty żołądek). U osób z chorobą wrzodową żołądka czy nieżytem jelit, może po kilku dniach diety sokowej lub surówkowej wystąpić biegunka. Wówczas należy spożywać wyłącznie gotowaną marchew i marchwiankę (zmiksowana marchew z dodatkiem wody, w której się gotowała, ze szczyptą soli), a następnie stopniowo wprowadzać dietę warzywno-owocową.

Po skończonej kuracji warzywno-owocowej należy stopniowo wprowadzać dietę zdrowego żywienia. Po wszelkich kuracjach „oczyszczających" pojawia się zwykle subtelniejszy smak i lepsze trawienie, zaś pokarmy ciężkostrawne takie, jak smażone mięso, wędzone ryby, tłuste ciastka itp. mogą wywołać objawy niestrawności, czego nie obserwuje się zwykle podczas „tradycyjnego" żywienia. Konsekwencją powrotu do żywienia niezgodnego z Naturą, może być nawrót chorób cywilizacyjnych.

Dzień 1

Śniadanie: sok z marchwi; surówka: pomidor, ogórek kiszony, seler naciowy; surówka z białej kapusty z jabłkiem; gotowany burak; herbata miętowa; sok jabłkowy.
Obiad: zupa ogórkowa; duszona papryka nadziewana jarzynami; surówka z czerwonej kapusty z grapefruitem; gotowany kalafior; kompot z jabłek (z goździkami, bez cukru).
Kolacja: mus jabłkowy na ciepło; surówka z marchwi z jabłkiem; gotowana biała kapusta; sok pomidorowy, herbata z róży.

Dzień 2

Śniadanie: pomidor z cebulą; surówka z białej rzodkwi, jabłka i ogórka kiszonego; surówka ze świeżej kapusty, marchwi i pora; sok z marchwi i jabłek, herbata.
Obiad: zupa jarzynowa (marchew, seler, por, pietruszka, kapusta biała, cebula, czosnek, bazylia, cząber, sól); surówka z selera z jabłkiem, z dodatkiem wody, soku z cytryny i soli; surówka z kiszonej kapusty z marchwią, jabłkiem i porem.
Kolacja: sałatka z gotowanych buraków z jabłkiem i cebulą; jabłko pieczone; sok pomidorowy, herbata miętowa.

Dzień 3

Śniadanie: jarzyny na ciepło; surówka z papryki, ogórka kiszonego, pomidora, cebuli; utarte jabłko z chrzanem; sok z kiszonej kapusty, herbata miętowa.
Obiad: zupa kalafiorowa; leczo jarskie; kapusta kiszona z jabłkiem, szczypiorkiem; kompot z dyni z goździkami bez cukru.
Kolacja: mus jabłkowy; surówka z marchwi z jabłkiem; buraczki z chrzanem na ciepło; sok z czerwonej porzeczki, herbata z melisy.

Dzień 4

Śniadanie: sok z marchwi; pomidor ze szczypiorkiem; gotowany kalafior; surówka: czerwona kapusta, por, jabłko; sok z czarnej porzeczki, herbata wieloowocowa.
Obiad: buraczek faszerowany; surówka z białej kapusty z jabłkiem i przyprawami ziołowymi; surówka z ogórka kiszonego z cebulą; herbata owocowa, sok pomidorowy.
Kolacja: bigos jarski; marchew gotowana z koperkiem; tarte jabłka z rzodkwią; sok pomidorowy, herbata wieloowocowa.

Dzień 5

Śniadanie: surówka z białej kapusty z jabłkiem i cytryną; pomidor z ogórkiem kiszonym; sok z marchwi, herbata miętowa.
Obiad: zupa kapuśniak; leczo jarskie; surówka z marchwi i jabłka; kompot z jabłek z goździkami.
Kolacja: 1/2 grapefruita, surówka: papryka czerwona, cebula, jabłko, ogórek kiszony; burak gotowany; herbata z melisy.

Dzień 6

Śniadanie: surówka z marchwi; buraczki na gorąco z chrzanem; pomidor z ogórkiem kiszonym; herbata miętowa.
Obiad: barszcz ukraiński; surówka: sałata pekińska, seler naciowy, jabłko, ogórek kiszony, natka, szczypiorek, papryka; sok z marchwi; kompot jabłkowy.
Kolacja: 1/2 grapefruita; surówka: kapusta świeża, cebula, jabłko, sól; leczo jarskie z dynią; herbata owocowa.

Dzień 7

Śniadanie: surówka: jabłko z chrzanem; sok wielowarzywny: marchew, seler, rzepa, burak, cytryna; kalafior gotowany; pomidor po-

krojony z ogórkiem kiszonym; herbata z dzikiej róży.
Obiad: gołąbki jarskie; buraczki na gorąco; surówka: pory z jabłkiem; kompot z jabłek.
Kolacja: surówka: ogórek kiszony, gotowany burak, cebula; surówka: świeża kapusta, melon, jabłko; sok jabłkowy, herbata z hibiskusa.

Dzień 8

Śniadanie: kapusta biała gotowana; ogórek kiszony, pomidor z cebulą; surówka: papryka, pomidor, jabłko, ogórek kiszony, natka, sałata, seler naciowy z kwaskiem mlekowym; sok z marchwi.
Obiad: barszcz ukraiński; surówka z jabłka i porów; surówka z białej kapusty z arbuzem; sok pomidorowy, sok jabłkowy, herbata miętowa.
Kolacja: bigos jarski; jabłko pieczone; surówka: kiszona kapusta, marchew, szczypiorek, jabłko; sok jabłkowy, herbata owocowa.

Dzień 9

Śniadanie: burak gotowany; pomidor z cebulą; surówka: marchew, jabłko, chrzan; sok z buraka kiszonego; herbata miętowa.

Obiad: barszcz z kiszonych buraków z czosnkiem; gołąbki jarskie; ogórek kiszony z cebulą; surówka: seler korzeniowy, jabłko, cytryna, z dodatkiem wody; kompot z jabłek.
Kolacja: jabłko pieczone; surówka: kapusta kiszona z grapefruitem; surówka: brukiew, jabłko, marchew; sok jabłkowy, sok pomidorowy.

Dzień 10

Śniadanie: marchew gotowana (w całości); pomidor z cebulą; surówka: kapusta kiszona, papryka, szczypiorek, natka, jabłko; sok z kiszonego buraka; sok z marchwi, herbata miętowa.
Obiad: kapuśniak ze świeżej kapusty; kabaczek pokrojony w paski i ugotowany; surówka z marchwi, jabłka, chrzanu, kiełków lucerny; sałata z sokiem z cytryny; sok z jabłek i buraków.
Kolacja: leczo jarskie; surówka z kapusty białej z papryką; buraczki na gorąco; sok z selera i marchwi, herbata owocowa.

Dzień 11

Śniadanie: pomidor z cebulą; ogórek kiszony; surówka z rzepy, rzodkiewki, jabłka; surówka z czerwonej kapusty z czosnkiem; sok z mar-

chwi; sok z surowego buraka z wodą i sokiem z cytryny; herbata miętowa.
Obiad: kapuśniak ze świeżej kapusty; surówka z czerwonej i żółtej papryki z jabłkiem i ogórkiem kiszonym; pomidor z cebulą; kompot z jabłek; 1/2 grapefruita.
Kolacja: mus jabłkowy; surówka z marchwi i jabłka; surówka z selera, dyni, jabłka; sok z marchwi; herbata wieloowocowa.

Dzień 12

Śniadanie: marchew gotowana; surówka z ogórka kiszonego, jabłka i cebuli; pomidor z cebulą; surówka z kapusty czerwonej, pomarańczy, cytryny; sok z pokrzywy i jabłek.
Obiad: zupa ogórkowa; biała kapusta gotowana; surówka z rzepy, jabłka; kompot jabłkowy.
Kolacja: mus jabłkowy; surówka z białej kapusty, grapefruita, cytryny; sok wielowarzywny: marchew, seler, pietruszka, rzepa, burak; surówka z selera, dyni i jabłka; sok jabłkowy; herbata miętowa.

Dzień 13

Śniadanie: burak gotowany; surówka z pomidora, ogórka kiszonego, papryki i cebuli;

surówka: biała kapusta, jabłko, przyprawy ziołowe; sok z marchwi; sok z ogórka kiszonego.
Obiad: barszcz; marchew gotowana; surówka z jabłka z chrzanem; surówka: jabłko, ogórek kiszony, kapusta pekińska, seler naciowy, szczypior, natka, pomidor; herbata z róży.
Kolacja: bigos jarski; surówka z marchwi; surówka z pora z jabłkiem; sok z marchwi; herbata miętowa.

Dzień 14

Śniadanie: kapusta biała na gorąco; pomidor z cebulą, ogórek kiszony; surówka: marchew, seler, jabłko i sok z cytryny; 1/2 grapefruita; sok z marchwi.
Obiad: barszcz z kiszonych buraków z czosnkiem; gołąbki jarskie; surówka: pomidor, papryka, ogórek kiszony, jabłko; kompot jabłkowy.
Kolacja: mus jabłkowy; pory gotowane; surówka: kapusta kiszona, marchew, szczypiorek; sok pomidorowy; herbata z róży.

Uwaga: do surówek można dodawać zmielony kminek i majeranek, a także przyprawy ziołowe, co ułatwia trawienie i zapobiega wzdęciom.

Wykonanie potraw

Kiszenie buraków: Do kamiennego garnka wrzucić 1 kg obranych i pokrojonych w plastry buraków i zalać 2 l przegotowanej wody (najlepiej mineralnej lub źródlanej). Dodać 3 płaskie łyżeczki soli szarej, 3 ząbki czosnku i zawiniętą w gazę skórkę z chleba razowego. Garnek przykryć gazą i trzymać w ciepłym miejscu. Po 3 dniach wyjąć skórkę, aby nie gniła i sok używać do picia lub zupy. Resztę przelać przez gazę do butelek i przenieść do lodówki. Zużyć w ciągu 1 miesiąca.

Kiszenie kapusty: Uszatkować 1 kg kapusty białej. Dodać 3 utarte marchwie, 1 łyżeczkę kminku, 3 dkg szarej soli. Wymieszać i ugnieść w kamiennym garnku aż sok pokryje powierzchnię. Przykryć talerzykiem, obciążyć np. słojem z wodą i przykryć gazą. Pozostawić w ciepłym pomieszczeniu. Po 3 dniach kapustę nakłuć drewnianym trzonkiem, aby upuścić gaz. Następnie znów ucisnąć i przenieść w chłodne miejsce.

Kiszenie ogórków: 2 kg ogórków ułożyć w kamiennym garnku lub słoiku, dodać suszonego kopru, kawałek korzenia chrzanu,

5 ząbków czosnku. Zalać 1,5 l wody przegotowanej z 3 płaskimi łyżkami soli. Obciążyć talerzykiem i słoikiem z wodą. Po około 7 dniach ogórki nadają się do spożycia.

Bigos jarski: Ugotować w małej ilości wody pokrojoną cebulę, dodać pokrojoną kapustę kiszoną lub świeżą i udusić na małym ogniu. Po ok. 20 min. gotowania dodać pokrojone kwaśne jabłka, przecier pomidorowy i przyprawy (majeranek, kminek, czosnek, sól, liść laurowy) i zagotować.

Leczo jarskie: Ugotować w małej ilości wody pokrojoną cebulę, dodać pokrojoną surową paprykę (można też dodać kabaczek), przecier pomidorowy, przyprawy (sól, czosnek, liść laurowy, ziele angielskie, pieprz) i udusić na małym ogniu.

Jarzyny na ciepło: Marchew, seler, pietruszkę, por, cebulę pokroić i ugotować w małej ilości wody, dodać ziele angielskie, liść laurowy, przecier pomidorowy, sól.

Gotowanie jarzyn: najlepszym sposobem jest krótkotrwałe gotowanie jarzyn na parze w specjalnym podwójnym garnku z sitkiem. Można też gotować jarzyny na metalowym durszlaku nad garnkiem z gotującą się wodą. Jarzyny powinny być tylko częściowo ugotowane. Wówczas są smaczniejsze, mają więcej witamin i żywszy kolor, niż gotowane w wodzie. Na parze można gotować kalafior, brokuły, kapustę, marchew, pory, dynię itp.

Zupa jarzynowa gotowana: Pokrojoną włoszczyznę (marchew, seler, pietruszkę, por, cebulę) zalać wrzącą wodą, dodać przyprawy (np. majeranek, lubczyk, bazylię, liść laurowy, ziele angielskie, czosnek, koperek czy natkę pietruszki, sól szarą) i ugotować. Można zupę zmiksować. Aby nadać zupie odpowiedni charakter, dodać pod koniec gotowania pokrojone ogórki kiszone lub kiszone buraki, albo kalafior, kapustę czy przecier pomidorowy.

Zupa jarzynowa surowa: Jest szczególnie zdrowa, gdyż pominięto tu proces gotowania, który niszczy witaminy i enzymy. Do malaksera (blender) wrzucić pokrojoną marchew, seler, cebulę, por, kalafior, dodać przecieru pomidorowego, soli, 1 ząbek czosnku i zalać gorącą wodą z przyprawami np. jarzynką, zmiksować i podać na gorąco do picia.

Gołąbki jarskie: Sparzyć we wrzącej wodzie liście kapusty, wypełnić farszem jarzynowym, zawinąć liście. Gołąbki zalać niedużą ilością wody z przecierem pomidorowym, jarzynką i udusić na małym gazie.

Farsz jarzynowy: Ugotować na parze lub w osolonej wodzie jarzyny: marchew, seler, pietruszkę, por, cebulę, zmielić i przyprawić bazylią, solą, pieprzem, natką pietruszki. Farsz jarzynowy można użyć do faszerowania papryki, kabaczka, cebuli, buraków (wydrążyć ugotowany burak i dodać farsz jarzynowy i zapiec w piekarniku).

Surówki:

– pokroić w drobną kostkę paprykę czerwoną, zieloną, ogórek kiszony, cebulę;

– zetrzeć na tarce marchew z jabłkiem;

– pokroić w kostkę ugotowany burak, ogórek kiszony i cebulę;

– pokroić lub zetrzeć na tarce seler naciowy, dodać utarte jabłko, pokrojoną zieloną pietruszkę, szczypior, ogórek kiszony;

– pokroić kapustę kiszoną i szczypior, dodać utartą marchew, jabłko;

– drobno uszatkować kapustę białą, posolić, dodać pokrojoną cebulę, utarte jabłko, zioła (cząber, kminek).

(Przepisy pochodzą z Ośrodka wczasów zdrowotnych „U Zbója" w Gołubiu Kaszubskim.)

Po kuracji „oczyszczającej" warzywno-owocowej zaleca się stopniowe rozszerzanie diety przez wprowadzenie niedużych ilości chleba razowego i kasz (do zup i na drugie danie), a następnie też roślin strączkowych. Od tego czasu proponuje się wprowadzenie na stałe zdrowotnego żywienia, zbliżonego do żywienia zgodnego z Naturą.

U osób z ciężkimi chorobami cywilizacyjnymi najlepsze efekty lecznicze uzyskuje się na diecie wyłącznie wegetariańskiej (warzywa, owoce, strączkowe, zboża) ze wstawkami diety „oczyszczającej" warzywno-owocowej.

Pacjenci z objawami alergii lub nietolerancji pokarmowej powinni unikać pokarmów, które uczulają. Szczególnie często spotyka się nietolerancję lub uczulenie na: mleko, ryby (np. u chorych z astmą), pszenicę (np. w zapaleniu stawów), truskawki, orzeszki ziemne, pieprz.

Zasady zdrowego żywienia

Zasady zdrowego żywienia stanowią do dziś temat dość kontrowersyjny. Ostatnio, dzięki szeregu badaniom epidemiologicznym i klinicznym wiedza na temat żywienia uległa dość radykalnym zmianom. Zostało dowiedzione, że współczesna dieta zachodnia, obfitująca w tłuszcze zwierzęce i białko a uboga w błonnik, zwiększa ryzyko wystąpienia chorób cywilizacyjnych takich, jak: choroba wieńcowa, nadciśnienie, otyłość, nowotwory, osteoporoza.

W 1991 roku Stowarzyszenie Lekarzy Medycyny Odpowiedzialnej, reprezentowane przez największe autorytety w dziedzinie żywienia (Neal D. Barnard, Denis Burkitt, Colin Campbell i Oliver Alabaster), wydało raport, zalecający gruntowną zmianę diety. Polega ona na wprowadzeniu wyłącznie czterech grup pokarmów roślinnych: warzyw, owoców, nasion zbóż i roślin strączkowych. Według opinii ekspertów produkty pochodzenia zwierzęcego (mięso, ryby, nabiał) nie są niezbędnym pokarmem. Mogą być one uważane jako dodatek, a nie podstawa żywienia. Szereg badań dowiodło, że pokarmy roślinne zapewniają dowóz wszystkich składników pokarmowych.

Słynna szkoła żywienia dr Bircher-Bennera również nie zaleca mięsa. Natomiast mleko (i to zwłaszcza zsiadłe) traktuje jedynie jako dodatek do diety. Dieta ta bazuje również na zbożach, surowych warzywach i owocach.

Makrobiotyka jest sposobem odżywiania, opartym na zgodzie z prawami Natury. Jej podstawowym składnikiem jest pełne ziarno, z dodatkiem warzyw, roślin strączkowych i owoców. Produkty zwierzęce stanowią jedynie znikomy procent. Makrobiotyka zaleca odpowiednie łączenie pokarmów np. zbóż z warzywami, ryb z sałatami, drobiu z owocami.

W ostatnich latach dużą popularność zyskała opracowana przed 130 laty dieta dr Wiliama Howarda Haya, która opiera się na zasadzie nie łączenia w jednym posiłku pokarmów białkowych z węglowodanami. Podstawą pożywienia są tu także surowe warzywa i owoce. Natomiast mięso i mleko, a także pokarmy bogatowęglowodanowe, jak ryż, ziemniaki i chleb zaleca się spożywać rzadziej i w mniejszych ilościach.

Praktyka potwierdziła wysoką skuteczność wyżej wymienionych kierunków żywienia w utrzymaniu zdrowia, a także w leczeniu szeregu już istniejących chorób cywilizacyjnych. Do dziś cieszy się nie słabnącym powodzeniem słynne sanatorium Bircher-Bennera w Zurichu oraz szereg ośrodków, zajmujących się leczeniem według zasad dr Haya czy makrobiotyki.

Profesor Winston J. Craig, członek Stowarzyszenia Dietetyków Amerykańskiego Instytutu Żywności, przedstawił na Europejskim Kongresie Unii Wegetariańskiej w Bratysławie w 1995 roku referat pt. „Roślinne pożywienie – lekarstwo i ochrona ludzkości", w którym przedstawił dietę roślinną jako dietę optymalną.

Narodowe organizacje zdrowia we wszystkich krajach zalecają spożycie minimalnych ilości tłuszczu z wyłączeniem tłuszczów nasyconych i wysoką zawartością węglowodanów złożonych. Światowa Organizacja Zdrowia zaleca dzienne spożycie 400 g owoców i warzyw i około 30 g nasion roślin strączkowych.

Rośliny są nie tylko źródłem witamin, mikroelementów, białek, węglowodanów, ale także zawierają substancje chemiczne o dużej aktywności biologicznej, mogące nie tylko zapobiegać chorobom, ale także je leczyć. Wśród nich na szczególną uwagę zasługują naturalne przeciwutleniacze (polifenole, pigmenty, witamina A, C, E) i duża grupa związków, posiadających właściwości przeciwnowotworowe (siarka w cebuli i czosnku, fityniany w zbożach i soi, ligniny w siemieniu lnianym, indole i izotiocyjanidy w marchwi i selerze, kwas elagonowy w grapefruicie i wiele innych). Szczególnie wysoki poziom związków przeciwnowotworowych zawierają ziarna soi (fityniany, inhibitory proteaz, fitosterole, saponiny, izoflawonoidy).

Planując przepisy zdrowego żywienia należy zatem uwzględnić zasadę, według której podstawą zdrowego żywienia powinny być pokarmy roślinne w stanie naturalnym tzn. jak najmniej przetworzonym. Natomiast bogatobiałkowe pokarmy pochodzenia zwierzęcego takie jak: mleko zsiadłe, kefir, jogurt, twaróg, ryby mogą być jedynie dodatkiem do diety.

W zdrowym żywieniu zaleca się spożywać:

A) Produkty pochodzenia roślinnego, jako podstawę żywienia:

a) wyroby wyłącznie z pełnego ziarna (mąka razowa, chleb razowy, płatki zbożowe, ziarno skiełkowane, grube kasze, pszenica gotowana, makarony razowe, ryż brązowy);

b) warzywa i owoce, które powinny stanowić połowę ilości przyjmowanych codziennie pokarmów. (Surowe owoce sezonowe spożywać około 20 minut przed posiłkiem. Szczególnie godnym polecenia jest codzienne spożywanie roślin zielonych, np. pietruszki, selera naciowego, brokułów, jarmużu, kapusty, brukselki, rzeżuchy, ziół itp., a także warzyw kiszonych i roślin bakteriobójczych, jak chrzan i czosnek);

c) niewielka ilość roślin strączkowych, z uwzględnieniem produktów z fermentowanej soi (np. sos sojowy) jako źródła witaminy B_{12};

d) niewielka ilość:

– nasion oleistych (pestki dyni, słonecznika, orzechów),

– oleju tłoczonego na zimno np. z oliwek, kukurydzy, słonecznika,

– oleju z nasion wiesiołka (Oeparol 1–2 kapsułki/dzień).

B) Produkty pochodzenia zwierzęcego, jako dodatek do pokarmów roślinnych:

a) niewielka ilość masła, najlepiej zmieszanego z olejem tłoczonym na zimno,

b) niewielka ilość mleka, zwłaszcza fermentowanego (zsiadłe, kefir, jogurt, twarożek) jako samodzielny pokarm lub w połączeniu z warzywami,

c) ryba gotowana lub duszona (1–2 razy w tygodniu), najlepiej w połączeniu z jarzynami i chrzanem,

d) białko jaja jako dodatek do wyrobów z mąki lub roślin strączkowych.

Należy ograniczyć smażenie, zastępując je duszeniem lub pieczeniem. Do smażenia zaleca się używać specjalnych patelni do dietetycznego smażenia w niewielkiej ilości oleju (najlepiej z oliwek lub rzepaku). Obecność kominka w środku patelni i szczelnej przykrywki stwarza warunki zbliżone do pieczenia w piekarniku.

Pokarmy należy dokładnie żuć, co nie tylko ułatwia trawienie (w ślinie zawarty jest enzym trawiący skrobię), ale także przyspiesza gojenie wrzodów żołądka (czynnik EGF, ułatwiający gojenie wrzodów trawiennych).

Pokarmy przerobione przemysłowo takie, jak: cukier, biała mąka, biała sól, oleje rafinowane, margaryny – zostały wykluczone z diety.

W zdrowym żywieniu także nie zaleca się:

– pokarmów wywołujących uzależnienie,

– o wysokiej zawartości tłuszczu, soli, substancji chemicznych,

– a także połączeń skrobi z białkiem.

Zatem nie należy spożywać: słodyczy, czekolady, dżemów, ciasta z białej mąki, białego chleba, mięsa, kiełbas, mocnej herbaty, kawy, piwa, alkoholu, napojów gazowanych, słonych przekąsek (orzeszki ziemne), sztucznie barwionych galaretek i napojów, pizzy czy białego makaronu z: serem, jabłkami, mięsem lub rybą, ani żywności w proszku (mleko, śmietanka, zupy), sera żółtego, frytek itp.

PROPOZYCJE ZDROWEGO ŻYWIENIA

Dzień 1

Śniadanie: surówka z marchwi z chrzanem; muesli z płatków owsianych, kiełków pszenicy, pestek słonecznika, rodzynek z jogurtem; kanapki z chleba razowego z masłem, pomidorem, szczypiorkiem, pastą orzechową; herbata miętowa.

Obiad: zupa kalafiorowa; kasza gryczana z sosem pieczarkowym, kotlet sojowy mielony; kapusta kiszona ze szczypiorkiem i z olejem; sałata z sosem winegrett; herbata z hibiskusa.

Kolacja: naleśniki z mąki razowej z kapustą i grzybami; jabłko pieczone; ciastko z mąki razowej; herbata owocowa.

Dzień 2

Śniadanie: kasza jaglana z jabłkiem i rodzynkami; chleb razowy z pasztetem sojo-

wym, ogórkiem kiszonym, pestkami dyni; herbata miętowa.
Obiad: zupa ogórkowa; zapiekanka z kaszy jęczmiennej i fasoli z sosem pomidorowym; surówka wielowarzywna; burak z chrzanem; sok z marchwi.
Kolacja: bigos jarski; kanapki z chleba razowego z pomidorem, rzodkiewką, szczypiorkiem; herbata owocowa.

Dzień 3

Śniadanie: muesli z orzechami, utartym jabłkiem i jogurtem; chleb razowy z pastą z soczewicy, kiełkami rzodkiewki, sałata; herbata.
Obiad: barszcz ukraiński z fasolą; pęczak z gulaszem sojowym; kalafior gotowany, polany olejem; surówka z ogórka kiszonego z cebulą i czosnkiem; sok z marchwi.
Kolacja: pomidor nadziewany warzywami i zapiekany; chleb razowy z masłem i kiełkami słonecznika; herbata.

Dzień 4

Śniadanie: ryż brązowy zapiekany z jabłkami, rodzynkami; chleb razowy z rzodkiewką,

pomidorem, cebulą, czosnkiem, pastą z soi, natką pietruszki; herbata.
Obiad: zupa pieczarkowa z grzankami; pszenica gotowana; gołąbki z ryżem i soczewicą, sos pomidorowy; surówka z ogórka kiszonego, selera naciowego, papryki, sałaty.
Kolacja: ogórek faszerowany sałatką warzywną z majonezem sojowym; ryba pieczona; pomidor z cebulą z sosem winegrett; herbata.

Dzień 5

Śniadanie: kasza kukurydziana z cynamonem i orzechami; chleb razowy z pasztetem z pieczarek, pomidorem, kiełkami, miodem; herbata.
Obiad: chłodnik; kasza jęczmienna z ryżem brązowym, sos chrzanowy; kotlet z soczewicy i pieczarek; brokuły gotowane; surówka z marchwi i jabłka; sok z aronii i jabłek, herbata.
Kolacja: fasola w sosie pomidorowym; chleb z masłem i kiełkami słonecznika, pastą orzechową, sałatą; herbata miętowa.

Dzień 6

Śniadanie: danie z płatków owsianych; chleb chrupki z pastą sojową i słonecznikiem; pomidor z cebulą, napój z czarnej porzeczki.

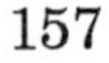

Obiad: zupa pomidorowa z ryżem brązowym; makaron razowy z sosem pieczarkowym; placki selerowe; surówka z sałaty, ogórka kiszonego, pomidora, zielonej pietruszki; kompot z jabłek.
Kolacja: sałatka warzywna z soczewicą; chleb razowy z masłem czosnkowym; surówka ze świeżej kapusty z marchwią i cebulą; ciasto z mąki razowej, herbata.

Dzień 7

Śniadanie: ryż brązowy z suszonymi morelami, rodzynkami, jabłkiem i sokiem z cytryny; bułeczki z siemieniem lnianym z masłem i pastą orzechową; rzodkiewki, ogórek kiszony, pomidor; herbata.
Obiad: zupa kapuśniak; pszenica gotowana z sosem pieczarkowym; fasolka szparagowa polana olejem; surówka z marchwi, jabłka z chrzanem; kompot agrestowy.
Kolacja: bigos wegetariański; chleb razowy z pastą ze słonecznika; surówka z papryki, ogórka kiszonego, selera naciowego; krem zbożowy z bakaliami, herbata z pokrzywy.

Dzień 8

Śniadanie: makaron żytni z sosem pomidorowym; chleb razowy z pastą z zielonego groszku; surówka z selera, z jabłkiem, orzechami i cytryną; herbata miętowa.
Obiad: zupa cebulowa z grzankami; kotlety z kaszy gryczanej; surówka z kapusty pekińskiej, ogórka kiszonego, kiełków sojowych; brokuły gotowane, polane olejem; herbata wieloowocowa, ciasto z mąki razowej.
Kolacja: naleśniki z ryżem i pieczarkami; surówka z kiełków pszenicy z jabłkiem i cytryną; sałata, pomidor, rzodkiewka, ogórek; sok wielowarzywny, kawa zbożowa.

Dzień 9

Śniadanie: granola z mlekiem sojowym; chleb razowy z rzodkiewką, ogórkiem, kiełkami słonecznika i dyni; herbata.
Obiad: zupa grochowa; kabaczek faszerowany ryżem z pieczarkami; kasza jaglana z sosem pieczarkowym; surówka z gotowanych buraków, cebuli i ogórka kiszonego; sok z marchwi.
Kolacja: ryba pieczona z jarzynami; surówka z kiszonej kapusty ze szczypiorkiem i mar-

chwią; kalafior polany olejem; sok z marchwi i jabłek; herbata.

Dzień 10

Śniadanie: kasza jaglana z kalafiorem i cebulą; chleb razowy z pomidorem, sałatą, słonecznikiem, pastą sojową; herbata, ciasto z mąki razowej.
Obiad: zupa rybna; pęczak (pęcak) z gulaszem warzywnym; sałatka z pomidorów, kukurydzy, selera naciowego, ogórka kiszonego z sosem winegrett; sok pomidorowy.
Kolacja: barszcz; pizza z warzywami; koktail bananowy, herbata.

Dzień 11

Śniadanie: muesli z orzechami, rodzynkami, figami i pestkami dyni; chleb razowy z pasztetem pieczarkowym; surówka z czarnej rzepy z jabłkiem i selerem naciowym; herbata.
Obiad: botwinka; ryba pieczona; kapusta kiszona, surówka z marchwi; brokuły gotowane; herbata, sok wielowarzywny.
Kolacja: faszerowana papryka zapiekana; sałatka warzywna z majonezem sojowym; chleb razowy z masłem czosnkowym; herbata owocowa.

Dzień 12

Śniadanie: muesli z orzechami, pestkami słonecznika i dyni, tartym jabłkiem; kanapki z chleba razowego z pastą sojową, kiełkami, miodem; pomidor z cebulą, sałata, herbata owocowa.

Obiad: żurek z makaronem razowym; kotlet z proteiny sojowej; fasolka szparagowa, ogórek kiszony, pomidor, kalafior; kompot wiśniowy.

Kolacja: leczo jarskie; kanapki z chleba razowego z pastą ze słonecznika i pszenicy; muesli z kiełków z pszenicy, pestek dyni, orzechów z tartym jabłkiem; herbata.

Dzień 13

Śniadanie: kasza jaglana z rodzynkami; kanapki z chleba razowego z pastą z pieczarek, papryką, pestkami dyni, twarożkiem, rzodkiewką; surówka z kapusty świeżej z jabłkiem, marchwią i cebulą; herbata.

Obiad: krupnik; pierogi z soczewicą; surówka wielowarzywna (utarta marchew, pietruszka, jabłko), rzodkiew, papryka, seler naciowy, szczypior, ogórki kiszone); herbata.

Kolacja: zapiekanka z pęczaku, fasoli i grzybów; surówka z marchwi; herbata z cytryną, ciasto z mąki razowej.

Dzień 14

Śniadanie: płatki kukurydziane i kiełki dyni z jogurtem, rodzynkami; zapiekanka z jabłkami; fasolka szparagowa polana olejem i posypana mielonym siemieniem lnianym; herbata.
Obiad: zupa kalafiorowa; gołąbki jarskie, kasza pęczakowa, sos pomidorowy; surówka z: selera, jabłka z orzechami i sokiem z cytryny; sok z aronii, herbata.
Kolacja: ryba zapiekana w folii z warzywami; surówka z czerwonej kapusty, brokuły gotowane; sok z marchwi, herbata.

Wykonanie potraw

Dania śniadaniowe

Danie z płatków owsianych: Zagotować 2 szklanki wody, wsypać 1/4 łyżeczki soli i 1 szklankę płatków owsianych. Gotować 10 min., dodać 1 łyżkę siemienia lnianego, znów gotować 10 min., dodać 1/4 szkl. rodzynek i

2 łyżki wiórków kokosowych, gotować aż do zgęstnienia. Dosłodzić miodem.

Granola: Zmiksować pół szklanki wody z pół szklanki oleju, pół łyżki soli i 4 łyżkami miodu. Następnie dodać 7 szklanek płatków owsianych, pół szklanki zarodków pszennych, 1 szklankę orzechów, 1 szklankę wiórków kokosowych i 1 szklankę mąki razowej. Piec w piekarniku przez 15 min. w temp. 170 stopni, następnie dosuszyć w temperaturze ok. 100 stopni przez 45 minut. Okresowo mieszać drewnianą łopatką. Podawać z bakaliami, mlekiem sojowym lub sokiem owocowym.

Muesli z jabłkiem: Uprażyć 1,5 szklanki płatków owsianych na suchej patelni teflonowej przez około 3–5 minut, stale mieszając. Utrzeć jabłka na tarce i wymieszać z płatkami, z rodzynkami, orzechami.

Zapiekanka z jabłkami: Zmiksować 1/4 szklanki wody z 1/4 szklanki oleju i 1/4 szklanki miodu, dodać 1 łyżeczkę wanilii, 1/4 łyżeczki soli. Połączyć z 2 szklankami płatków owsianych i 1 szklanki mąki razowej i 1/2 szklanki orzechów. Około 1 kg pokrojonych w plasterki jabłek wymieszać z cynamonem, ułożyć w szkle żaroodpornym, zasypać powstałą mieszanką. Lekko ugnieść i piec w średnio gorącym piekarniku około 45 min.

Pasta ze słonecznika: Gotować (przez 3 minuty) pół szklanki nasion słonecznika w 1 i 1/4 szklanki wody, zmiksować nasiona z 1/3 szklanki ugotowanego brązowego ryżu i 1/4 szklanki przecieru pomidorowego. Dodać natkę pietruszki, pokrojony 1 ząbek czosnku, 1 łyżeczkę suszonej pokrzywy i sól.

Pasta z zielonego groszku: Zmiksować w malakserze 1 puszkę groszku konserwowego, 1 łyżeczkę masła, 3 łyżki oleju, przyprawić solą, pieprzem ziołowym i cząbrem.

Pasta orzechowa: zmielić w blenderze 20 dkg orzechów (ziemnych, włoskich, migdałów) dodać 2 łyżki oleju i 1 łyżeczkę miodu, szczyptę soli.

Pasta z pszenicy: 1 szklankę ugotowanej pszenicy zmielić z 3 ząbkami czosnku, dodać 3 łyżki koncentratu pomidorowego, 1 łyżkę masła, zieloną pietruszkę, sól i wymieszać.

Pasta z pieczarek: Udusić pokrojoną w kostkę 1 cebulę na oleju, dodać 40 dkg pokrojonych pieczarek i usmażyć. Po ostygnięciu zemleć w maszynce lub zmiksować w malakserze, dodać 3/4 szklanki ugotowanej kaszy gryczanej, 2 ząbki czosnku, jarzynkę, 1 łyżkę oleju.

Pasta z soczewicy: zmiksować 1 i 1/2 szklanki ugotowanej soczewicy z 1/3 szklanki mleka sojowego i dodać 1/2 szklanki oleju, sok z cytryny. Przyprawić solą, majerankiem, czosnkiem.

Pasta z soi: Zmiksować 2 szklanki ugotowanej soi (ciepłej), dodać 2 uduszone na oleju cebule i 1 łyżkę majeranku. Dodać 1/2 koncentratu pomidorowego i sól.

Masło czosnkowe: Utrzeć masło z drobno posiekanym czosnkiem (albo przeciśniętym przez praskę do czosnku), osolić.

Masło z olejem tłoczonym na zimno: Utrzeć 10 dkg masła z taką ilością oleju tłoczonego na zimno (np. oliwą z oliwek), aby uzyskać jednolitą masę.

Mleko sojowe: Zalać wodą pół szklanki soi na noc, następnie zmiksować soję z 1 szklanką wody, przecedzić przez lniane płótno. Pozostałą soję zmiksować z 2 szklankami wody i przecedzić. Mleko gotować przez 3 min. Dodać 1/2 łyżeczki soli i 1 łyżeczkę miodu.

Koktail bananowy: Zmiksować 1 szklankę mleka sojowego z bananem i 1 łyżką wiórek kokosowych.

Wypieki z mąki razowej

Chleb razowy na zakwasie: Wyrobić miękkie ciasto z 2 szklanek mąki pszennej razowej i letniej wody (nie chlorowanej), przykryć serwetą i pozostawić na 3 dni. Następnie dodać do zaczynu niewielką ilość wody z rozpuszczoną solą (1 łyżeczką), dosypać 1,5 kg mąki pszennej razowej i 0,5 l mąki żytniej razowej i dolać tyle letniej wody, aby ciasto było dość gęste. Wyrabiać około 20 min. Dodać 1 łyżeczkę kminku. Pozostawić w cieple na 1 godzinę, następnie krótko wyrobić i przełożyć do wysmarowanej olejem i wysypanej mąką podłużnej formy, którą wypełnić do połowy. Można posypać czarnuszką, makiem, płatkami owsianymi itp. Przykryć serwetką. Pozostawić w cieple (np. na kaloryferze) przez 3 godziny. Piec w średnio nagrzanym piekarniku około 1 godziny.

Bułeczki z siemieniem lnianym: 3 dkg drożdży i 1 łyżeczkę soli szarej rozpuścić w 1 i 1/3 szklanki letniej wody i dodać 45 dkg mąki pszennej razowej, wyrobić ciasto, przykryć ściereczką na pół godziny. Następnie dodać 12 dkg świeżo mielonego siemienia lnianego i pozostawić do wyrośnięcia. Formować bułeczki i wstawić do nagrzanego piekarnika i piec przy średnim ogniu około 20 min.

Ciastka z orzechami laskowymi: Wymieszać 1 szklankę mąki pszennej razowej, 1 szklankę zmielonych płatków owsianych, dodać 2 łyżki oleju (lub masła), 3/4 szklanki siekanych orzechów laskowych, 1/4 łyżeczki soli i wodę. Formować okrągłe ciasteczka o grubości 2 cm i piec na wysmarowanej olejem blasze w ogrzanym uprzednio piekarniku.

Kruchy placek z suszonymi morelami: posiekać 1/2 kostki masła z 2 szklankami przesianej mąki pszennej, dodać 1/2 szklanki wody, szczyptę soli, krótko zagnieść ciasto, odstawić na 10 minut, a następnie rozwałkować je i wyłożyć do natłuszczonej i posypanej mąką formy. Ciasto nakłuć widelcem.

Masa owocowa: namoczone na noc w lekko osolonej wodzie suszone morele lub śliwki gotować 25 minut i zagęścić płatkami owsianymi. Masę owocową położyć na ciasto i piec ok. 20 minut w gorącym piekarniku.

Ciato kruche z płatkami owsianymi: 2 szklanki mąki razowej i 1 szklankę płatków owsianych wymieszać z 1/2 szklanki oleju (lub masła), dodać szczyptę soli i trochę wody, aby zagnieść ciasto. Wysmarowaną olejem formę wykładać po kawałku ciastem, nakłuć widelcem, przykryć wilgotną ściereczką na kilka godzin. Następnie posypać płatkami i orzechami i piec ok. 25 minut w temperaturze 180 stopni.

Zboża

Pszenica gotowana: 1 szklankę pszenicy wymyć i zalać na noc 3 szklankami wody, następnie gotować 20 min, pod koniec gotowania osolić i przelać do termosu na kilka godzin lub dogotować na płytce ok. 2–3 godzin. Pszenicę można też gotować na małym ogniu około 2,5 godziny lub w szybkowarze 30 min. Posolić pod koniec gotowania.

Pszenica nie wymaga moczenia, gdy jest wstępnie lekko wyprażona na wysmarowanej olejem patelni. W czasie prażenia stale mieszać, żeby się nie przypaliła.

Ryż brązowy gotowany: Zalać 1 szklankę ryżu 1,5 szklanki wody, dodać szczyptę soli i gotować do miękkości. W szybkowarze czas gotowania wynosi 50 min.

Pęczak gotowany: Namoczyć 1 szklankę pęczaku na noc w 3 szklankach wody, posolić, gotować 10 min., następnie zmniejszyć ogień i gotować na płytce około 1 godziny. W szybkowarze pęczak gotuje się szybciej.

Kasza gryczana gotowana: 1 szklankę kaszy gryczanej zalać 1 i 1/2 szklanki wrzącej wody, dodać 1 łyżeczkę soli zagotować, przykryć przykrywką i na małym ogniu gotować 15 min.

Kasza kukurydziana: Zagotować 3 szklanki wody, dodać szczyptę soli, wsypać 1 szklankę kaszy kukurydzianej, gotować na małym ogniu około 20 min.

Kasza jaglana z kalafiorem i cebulą: Uprażyć 1 szklankę kaszy jaglanej na suchej patelni. Do szybkowaru włożyć uduszoną z olejem cebulę, surowy kalafior, wsypać kaszę, wlać 3 szklanki wody, dodać szczyptę soli. Gotować 50 minut na małym ogniu, następnie ugnieść jak ziemniaki.

Kasza jaglana z rodzynkami: Zagotować 4 szklanki wody, dodać 3/4 łyżeczki soli, 1 szklankę kaszy jaglanej i gotować 1 godzinę. Pod koniec gotowania dodać 2 łyżki rodzynek i 1 łyżeczkę miodu i wymieszać.

Zapiekanka z kaszy i grzybów: Cebulę udusić na oleju, dodać 30 dkg pokrojonych pieczarek. Wymieszać z 2 szklankami ugotowanej kaszy (gryczanej, jęczmiennej, jaglanej lub ryżu). Przyprawić ziołami, solą, pieprzem. Zapiekać w naczyniu ogniotrwałym. Zamiast grzybów można dodać różne warzywa. Posypać zieloną pietruszką.

Kiełkowanie pszenicy: na noc namoczyć ziarno pszenicy, następnie przełożyć do słoika (lub specjalnej kiełkownicy) i 2 razy dziennie płukać na sitku. Po 5 dniach pszenica jest skiełkowana i nadaje się do spożycia. Analogicznie można kiełkować inne nasiona (słonecznik łuskany, pestki dyni, nasiona rzodkiewki, lucerny, soi itp.).

Wyroby z mąki razowej

Naleśniki: 1/2 l mąki pszennej razowej lekko odsiać na sicie, dodać 4 łyżki mąki gryczanej i zalać 3/4 l letniej wody (lub mleka sojowego), dokładnie wymieszać i pozostawić na 2 godziny. Następnie dodać 1 łyżkę oleju, nieco soli, wymieszać i smażyć.

Makaron razowy: Lekko przesiać 2 szklanki mąki razowej, dodać 1 jajko, 3/4 szklanki wody i szczyptę szarej soli, zagnieść ciasto i cienko rozwałkować i pokroić w paseczki, przesypując mąką. Gotować 15 min. we wrzącej, osolonej wodzie. Wysuszony makaron można przechowywać przez długi czas. Gotowy makaron razowy można też kupić w sklepach ze zdrową żywnością.

Pizza z warzywami: Ciasto: zalać 1 szklanką ciepłej wody – 1 łyżeczkę drożdży, dodać pół łyżeczki miodu, odstawić na 10 minut do wyrośnięcia. Następnie dodać 2 szklanki mąki z dodatkiem 3/4 szklanki mąki razowej, 1 łyżeczkę soli i 1/4 szklanki oleju. Po 20 minutach wałkować na grubość 1 cm, kłaść na blachę. Zalać sosem pomidorowym (1,5 szklanki soku pomidorowego zagotować z 2 szklankami wody, 3 łyżkami mąki i solą), nałożyć pokrojoną cebulę, paprykę, pomidor, pieczarki i zapiec 30–40 min. w gorącym piekarniku.

Pierogi z soczewicą: Wymieszać 2 szklanki mąki pszennej razowej z 1 szklanką mąki białej, zagnieść ciasto, dolewając mleka i wody. Ciasto przykryć miską na pół godziny, następnie rozwałkować. Wycinać kwadraty, nakładać farsz, składać po przekątnej i zlepiać brzegi. Gotować we wrzącej, osolonej wodzie.

Farsz: zmiksować pieczarki (uduszone na oleju z cebulą) z gotowaną soczewicą i kaszą gryczaną. Przyprawić majerankiem, solą, natką pietruszki.

Zupy

Żur: 1,5 szklanki mąki pszennej razowej, zalać 1 l przegotowanej, letniej wody, dodać skórkę chleba razowego, pozostawić na 4 dni w ciepłym pomieszczeniu, przykryć gazą. Przecedzić i przechowywać w lodówce.

Ziemniaki pokroić i zalać wrzącą wodą, ugotować, dodać sól, wlać zakwas, dodać cebulę uduszoną na oleju. Przyprawić żur roztartym ząbkiem czosnku, sosem sojowym.

Zupa jarzynowa: Rozgrzać na patelni olej, wrzucić pokrojone jarzyny (marchew, seler, por, kalafior), dodać sól i zmniejszyć ogień i krótko dusić pod przykryciem. W czasie duszenia można dodać trochę wody. Następnie dodać kaszy (np. jęczmiennej), przyprawy (majeranek, czosnek, liść laurowy, bazylia itp.) zalać wodą, posolić i ugotować zupę. Pod koniec gotowania można zupę zabielić jogurtem, dodać koperku lub zielonej pietruszki, sosu sojowego.

W ten sposób można gotować zupę ogórkową, barszcz (dodać kiszonego barszczu), kapuśniak, zupę pomidorową, grochową, rybną, z soczewicy itp.

Zupa cebulowa: Pokroić w krążki 5 cebul, zalać 3 szklankami wrzącej wody, posolić, ugotować i zmiksować. Ugotowane 3 marchwie w 1 i 1/2 szklanki wrzącej wody i dodać sól. Wywar z marchwi dolać do zupy cebulowej. Dodać 1 i 1/2 łyżk oleju sojowego. Przyprawić bazylią. Posypać koperkiem lub zieloną pietruszką. Podawać z grzankami z podsuszonego chleba razowego, pokrojonego w kostkę.

Chłodnik: 1 litr mleka zsiadłego wymieszać z pokrojonym w paski surowym ogórkiem, ugotowaną i pokrojoną botwinką, pokrojonymi w plasterki rzodkiewkami. Posypać szczypiorkiem i koperkiem. Przyprawić solą.

Warzywa surowe

Surówka z selera: Utrzeć seler z jabłkiem, dodać sok z cytryny, rodzynki, posiekane orzechy, lekko osolić i dodać niewielką ilość przegotowanej wody.

Surówka z kapusty pekińskiej: Kapustę, jabłko, marchew i ogórek kiszony zetrzeć na tarce o dużych oczkach. Por pokroić w cienkie plasterki. Wymieszać z 2 łyżkami kiełków sojowych, dodać sos z 3 łyżek oleju i 1 łyżki musztardy. Posolić do smaku.

Ogórek faszerowany sałatką warzywną: Przekroić wzdłuż obrany ogórek i wydrążyć miąższ. Faszerować sałatką z drobno pokrojonej papryki, ogórka kiszonego, pomidora, zielonej pietruszki, szczypiorku.

Sałatka z soczewicy: Pokroić w kostkę kiszony ogórek i małą cebulę, dodać 1/2 szklanki gotowanej soczewicy, sosu sojowego, oleju i soli.

Uwaga! Wszystkie surówki, zamieszczone w przepisach diety warzywno-owocowej, można stosować w zdrowym żywieniu. Surówki można wzbogacić przez dodanie oleju, majonezu, kiełków nasion, kwasu mlekowego, sosu sojowego i wszelkich przypraw ziołowych.

Warzywa gotowane

Bigos jarski: Zalać wrzącą wodą 1/2 szklanki proteiny sojowej i gotować 15 min. Udusić pokrojoną cebulę z olejem i 2 łyżkami wody, następnie dodać 2 łyżki mąki. Poszatkowaną kapustę dodać do cebuli, zalać małą ilością wrzącej wody i ugotować, dodać pieprz ziołowy, majeranek, czosnek, sos sojowy, namoczone suszone śliwki. Wymieszać z proteiną.

Leczo jarskie: Udusić pokrojoną cebulę z czosnkiem na oleju z dodatkiem niewielkiej ilości wody. Dodać pokrojonego w kostkę kabaczka lub surową paprykę, przecier pomidorowy, zieloną pietruszkę, sól, pieprz. Gotować przez 20 minut.

Gołąbki jarskie: Kapustę włożyć do wrzącej wody i oddzielić liście. Grzyby ugotować w małej ilości słonej wody. Cebulę zrumienić na oleju i połączyć z grzybami i z 3/4 szklanki ugotowanego ryżu brązowego. Przyprawić solą i pieprzem. Farsz zawijać w liście kapusty, podlać wrzącą wodą, udusić do miękkości. Pod koniec gotowania posolić, dodać 1 łyżkę oleju, przecier pomidorowy i przyprawić jarzynką. Podobnie można wypełnić farszem wydrążony kabaczek i udusić.

Gulasz z proteiny sojowej: namoczyć w gorącej wodzie z dodatkiem jarzynki – kostki proteiny sojowej, następnie obtoczyć je w mące i podsmażyć na oleju. Kostkę zalać roztworem jarzynki, dodać liść laurowy, przyprawić pieprzem i ugotować.

Gulasz warzywny: Ugotować 3 szklanki grochu i zmiksować w blenderze, dodać do gotującego się grochu pokrojone w duże kawałki warzywa, takie jak: cebulę, marchew, seler, rzepę itp., dodać sól, ziele angielskie, liść laurowy, pieprze, majeranek, 2 łyżki oleju i udusić do miękkości.

Papryka faszerowana ryżem z warzywami: 1/2 szklanki ugotowanego ryżu brązowego wymieszać z pokrojoną w talarki marchwią, pokrojonymi w kostkę pomidorami, uduszoną na oleju cebulą i natką pietruszki. Przyprawić solą i pieprzem. Faszerować wydrążone papryki, podlać wodą i udusić. Pod koniec dodać sól i łyżkę oleju.

Kapusta czerwona: 5 minut gotować poszatkowaną czerwoną kapustę, przecedzić, dodać soku z cytryny i oleju. Przyprawić solą.

Sos winegrett: Wymieszać 2 łyżki oleju sojowego z 1 i 1/2 łyżki soku z cytryny, dodać sól i miód do smaku.

Sos pomidorowy: Zrumienić na suchej patelni mąkę. Rozgrzać na patelni olej, dodać mąkę rozmieszaną z wodą. Przyprawić jarzynką, solą, pieprzem ziołowym, dodać przecieru pomidorowego i zagotować.

Krem zbożowy: 4 łyżki mąki razowej odsianej rozmieszać w 1/2 szklanki zimnej wody i wlać do 1 i 1/2 szklanki wrzącej wody i zagotować, stale mieszając. Sos chrzanowy: do sosu użyć 10 łyżek kremu zbożowego, dodać 2 łyżki chrzanu i 1 łyżkę oleju, sól do smaku i zagotować.

Krem zbożowy z bakaliami: Do kremu zbożowego (przepis powyżej) można dodać owoców, orzechów, rodzynek i posypać wiórkami kokosowymi.

Majonez sojowy: Zmiksować 1 szklankę ugotowanej, gorącej soi z 1 szklanką wody. Jak ostygnie dodać pół łyżki soli, 2 łyżki sproszkowanej suszonej cebuli, ząbek czosnku i zmiksować z 1 szklanką oleju (dolewać powoli). Dodać 3 łyżki soku z cytryny.

Sos pieczarkowy: Pokrojone pieczarki udusić w niedużej ilości wody z pokrojoną cebulą. Dodać liść laurowy, pieprz, sól, zagęścić mąką.

Kotlety

Kotlety z kaszy gryczanej: 1 szklankę płatków owsianych zalać małą ilością wrzącej wody i pozostawić na 15 min. Osobno ugotować 1 szklankę soczewicy i 2 szklanki kaszy gryczanej. Pokrojone 2 cebule wraz z 20 dkg pieczarek poddusić na oleju, dodać pokrojone 3 ząbki czosnku, przyprawę „jarzynkę". Połączyć płatki z kaszą, soczewicą oraz cebulą i pieczarkami. Można zagęścić bułką tartą. Formować kotleciki i smażyć obtoczone w otrębach.

Kotlety sojowe mielone: Zmielić ugotowaną soję i pszenicę w równej proporcji, dodać podduszone na oleju pieczarki z cebulą. Przyprawić majerankiem, pieprzem, solą, dodać białko jaja, formować kotlety, panierować w sezamie i smażyć na oleju. Można też upiec w foremce jak pasztet.

Kotlet z proteiny sojowej: Na ok. 10 min. zalać wrzącą wodą (z dodatkiem jarzynki) kotlety z proteiny sojowej. Następnie lekko odcisnąć, obtoczyć w otrębach i smażyć. Kotlety można kupić w sklepie ze zdrową żywnością.

Kotlety z soczewicy: 2 szklanki płatków owsianych zalać na 15 minut niewielką ilością wrzącej wody. Ugotować 1 szklankę soczewicy. Udusić na oleju 2 pokrojone cebule. Połączyć płatki z cebulą, soczewicą i 2 łyżkami skiełkowanej pszenicy. Przyprawić jarzynką. Można też zagęścić bułką tartą. Formować kotlety, obtoczyć w sezamie i smażyć.

Placki selerowe: 1/2 szklanki platków owsianych zalać wrzącą wodą, odstawić na 10 min., dodać starty mały seler, 1 łyżkę siemienia lnianego, sól, wodę i usmażyć jak placki ziemniaczane.

Ryby

Ryba pieczona: Włożyć oczyszczoną rybę (np. pstrąga) do żaroodpornego półmiska, wysmarowanego tłuszczem. Posypać 6 łyżkami drobno posiekanej zielonej pietruszki i 6 łyżkami posiekanej cebuli. Pokropić olejem, posolić, dodać przyprawy (kminek, rozmaryn). Wstawić na 20 minut do gorącego piekarnika i w czasie pieczenia okresowo polewać sosem.

Ryba pieczona z warzywami: Ułożyć w szkle żaroodpornym oczyszczoną rybę, posypać jarzynką, obłożyć pokrojoną w krążki cebulą i pokrojonymi w grube plastry warzywami (marchew, seler, pietruszka, kalafior) i upiec w piekarniku.

SPIS TREŚCI

Dr med. Ewa Dąbrowska

DIETA WARZYWNO- OWOCOWA JAKO METODA PROFILAKTYKI I LECZENIA

W przypadkach nagłych i poważnych zachorowań lub w stanach zagrożenia życia leczenie farmakologiczne jest często jedynym ratunkiem lecz jeśli ono zawodzi, a choroba przedłuża się, zachęcam do stosowania diety warzywno-owocowej, jako nowatorskiej metody profilaktyki i leczenia.

Współczesna cywilizacja wiąże się z ogromnymi przemianami niemal we wszystkich dziedzinach życia, również w dziedzinie żywienia człowieka. Żywność naturalna utraciła swą wartość biologiczną w wyniku zastąpienia jej żywnością przetworzoną; rafinacja pozbawiła pokarm bezcennego błonnika, szeregu mikroelementów i witamin, zaś poddanie żywności wysokim temperaturom doprowadziło do zniszczenia enzymów i zmiany struktury przestrzennej białek. Następstwem przetwarzania żywności było pojawienie się na niespotykaną dotąd skalę szeregu przewlekłych chorób „cywilizacyjnych" o charakterze degeneracyjno – zapalnym z miażdżycą i nowotworami na czele.

A przecież jeszcze przed 100 laty, gdy żywność była naturalna, główną przyczyną śmierci były choroby infekcyjne, takie jak grypa czy gruźlica, a nie – jak dzisiaj – zawały czy nowotwory.

Wiadomo jest, że człowiek jako istota biologiczna pozostał na przestrzeni wieków niezmienny, jego komórki mają wciąż te same potrzeby pod względem składników pokarmowych, co przed tysiącami lat. Jeżeli odejście od natury byłoby przyczyną chorób cywilizacyjnych, zatem naturalne pożywienie oparte na warzywach i owocach mogłoby być przykładem leczenia przyczynowego tych chorób.

Czym zatem jest proponowana
dieta warzywno-owocowa?

Dieta ta, która w istocie ma charakter głodówki leczniczej, stosowana jako okresowa kuracja, dostarcza enzymów, mikroelementów, witamin, korzystnie alkalizuje i odtruwa, wzmacnia własne, samoleczące mechanizmy, przywraca równowagę przemian, czyli zdrowie. Po zakończeniu tej kuracji zaleca się włączenie na stałe naturalnego pokarmu opartego na warzywach, owocach, ziarnach, roślinach strączkowych z dodatkiem produktów zwierzęcych. Własne doświadczenia potwierdziły prawdziwość tezy, że pożywienie może być skuteczną metodą profilaktyki i leczenia chorób cywilizacyjnych.

Zasady leczenia dietą warzywno-owocową

Skład diety: Przez okres od kilku dni do kilku tygodni, w zależności od wskazań, zaleca się dietę opartą na warzywach nisko skrobiowych, takich jak na przykład: korzeniowe (marchew, buraki, seler, pietruszka, rzodkiew), kapustne (kapusta, kalafior, brokuł), cebulowe (cebula, por, czosnek), dyniowate (dynia, kabaczek, ogórki), psiankowate (pomidor, papryka), liściaste (sałata, natka pietruszki, zioła). Równocześnie można spożywać niskocukrowe owoce takie jak: jabłka, grejpfruty, cytryny i nieduże ilości jagód. Szczególnie cenne są zielone soki, które pochodzą z zielonych pędów roślin jak na przykład z natki pietruszki, selera naciowego, botwiny, pokrzywy, szczawiu, szpinaku, brokułów, kapusty, sałaty, kiełków lucerny, trawy z pszenicy. Są one bogatszym źródłem bioaktywnych składników niż korzenie, posiadają chlorofil, którego budowa chemiczna jest podobna do hemoglobiny, mają aktywne enzymy, które oczyszczają, odtruwają, odnawiają krew, ułatwiają trawienie, alkalizują, dostarczają tlenu, energii, witamin i minerałów w najlepiej przyswajalnej postaci.

Warzywa i owoce można jeść na surowo, w postaci surówek, zup warzywnych przyprawianych ziołami, czy warzyw gotowanych.

Wśród napojów poleca się picie wody, soków warzywnych i owocowych, wywarów z warzyw, herbat owocowych lub ziołowych, kompotów bez cukru. W czasie kuracji nie należy spożywać żadnych innych pokarmów jak np. chleba, kasz, oleju itp. Również nie należy pić kawy, mocnej herbaty, alkoholu, ani palić papierosów.

Wersje diety: Najcenniejsze są warzywa i owoce surowe, gdyż posiadają aktywne enzymy i biokatalizatory, a wśród nich około 10 tysięcy antyoksydantów m.in. polifenoli, likopenu, witaminy C, E, *beta karotenu*, oraz chlorofil, mikroelementy i błonnik. Jednakże nie zawsze dieta ta jest dobrze tolerowana. W przypadku pojawienia się bólów brzucha, uporczywych wzdęć lub niechęci do diety zaleca się przez kilka dni wersję sokową diety (soki warzywne i owocowe, woda, herbaty owocowe, ziołowe, wywary warzywne) lub wersję gotowaną (warzywa gotowane, zupy warzywne, jabłka gotowane) zwłaszcza w przypadku chorych gastrycznych.

Istnieje też wersja eliminacyjna diety warzywno-owocowej, czyli wykluczenie pewnych pokarmów, a zwłaszcza:

- ogórków kiszonych i soli u chorych z nadciśnieniem i również u chorych z obrzękami, gdyż sól zatrzymuje wodę i zwiększa ciśnienie krwi,
- gotowanej marchwi, dyni, buraków, musu z jabłek i soku z marchwi u chorych z cukrzycą, gdyż warzywa gotowane zwiększają poziom cukru we krwi,
- w przypadku alergii pokarmowej należy wykluczyć pokarmy alergizujące i nietolerowane w oparciu o testy na alergie i nietolerancje pokarmowe.

Leki w czasie diety: W czasie stosowania diety warzywno-owocowej zmienia się metabolizm i łatwo mogą ujawniać się działania uboczne leków. Ponieważ wraz z redukcją masy ciała dość szybko normalizuje się ciśnienie tętnicze i również poziom cukru, dlatego należy pod kontrolą ciśnienia i poziomu cukru redukować dawki leków hipotensyjnych, moczopędnych i przeciwcukrzycowych. Również pod wpływem diety normalizuje się przemiana cholesterolu, więc leki przeciw cholesterolowe często udaje się przerwać. U jednej z pacjentek, która nie przerwała w czasie diety *Lipanthylu*, leku przeciw cholesterolowego, który na ogół jest bezpieczny, wystąpiły bóle łydek i ponad 20-krotny wzrost aktywności enzymów martwicy mięśni. Przerwanie przyjmowania leku i kontynuacja diety przywróciły do normy wartości enzymów. W innym przypadku moczopędny lek *Verospiron* spowodował rozwój gruczołów piersiowych (ginekomastię), jako uboczne działanie leku u pacjenta, który był na diecie.

Szczególnej ostrożności wymagają leki przeciwkrzepliwe. W takich przypadkach należy częściej kontrolować układ krzepnięcia i korygować dawki leków, ponieważ może wystąpić skaza krwotoczna w postaci sińców, czy krwawień.

Stosowanie insuliny jest w tracie diety niebezpieczne ze względu na możliwość niedocukrzenia. W takim przypadku należy szybko podać do wypicia roztwór miodu, czy zjeść słodki owoc. U pacjentów z otyłością i cukrzycą typu II stosujących dietę, zwykle udaje się przerwać przyjmowanie tabletek przeciwcukrzycowych, a nawet insuliny. Leków hormonalnych zwykle nie przerywa się, dopiero po kuracji dietą należy przeprowadzić korektę dawek przyjmowanych hormonów w zależności od poziomu hormonów własnych.

Uwaga! Dawki leków należy modyfikować pod kontrolą lekarza.

Czym można wspomóc oczyszczanie organizmu w trakcie diety? Ponieważ toksyny są główną przyczyną chorób, dlatego też należy je usunąć wszelkimi dostępnymi sposobami. Wśród metod wspomagających należy podkreślić ruch, a zwłaszcza spacery, gimnastykę, ćwiczenia oczu według Batesa, pływanie, siłownia itp.

Ruch uruchamia w organizmie te same mechanizmy co post; wywołuje redukcję masy ciała, ciśnienia, cukru, cholesterolu, zakrzepów itp. Pomocne są też lewatywy, hydrocolonoterapia, masaże, sauna i zabiegi fizykoterapeutyczne.

Wskazania do diety warzywno-owocowej

Podstawowym wskazaniem do diety warzywno -owocowej jest promocja zdrowia, czyli stosowanie diety u ludzi zdrowych celem wzmocnienia zdrowia, oczyszczenia z toksyn, zwiększenia energii, poprawy snu, odmłodzenia, większej wydolność psychofizycznej organizmu, poprawy pamięci, kojarzenia, wyciszenia, większej duchowości, radości itp. Badania naukowe udowodniły, że diety restrykcyjne kalorycznie są skuteczną metodą wydłużania życia, zapobiegania powstawaniu nowotworów i innych chorób cywilizacyjnych.

Oczyszczenie organizmu z toksyn przywraca do normy główne układy „sterownicze", czyli układ immunologiczny, nerwowy i hormonalny, dlatego też dieta okazała się skuteczną metodą leczenia w przypadku:

- zaburzenia odporności: częste infekcje (bakteryjne, wirusowe, grzybicze), alergie (katar sienny, astma), nietolerancje pokarmowe (migrena, mięśniobóle), choroby z autoagresji (gościec reumatoidalny, zapalenie tarczycy *Hashimoto*, zapalenie wątroby, toczeń trzewny, zespół „suchego oka"), a także choroby skóry (łuszczyca, trądzik, skórna porfiria, sucha skóra, egzema),
- chorób neurologicznych: padaczka, udary niedokrwienne mózgu, zaburzenia pamięci, nerwica, pobudzenie, choroba Parkinsona, stwardnienie rozsiane,
- chorób endokrynologicznych: zaburzenia miesiączkowania, klimakteryczne, niedoczynność tarczycy, guzki tarczycy, wysoka prolaktyna, czy nadmiar estrogenów, torbiele jajników.

Dieta ta okazała się także skuteczną metodą w przypadkach niepłodności; przykładem może być niepłodna od 15 lat kobieta, która po przeprowadzeniu sześciotygodniowej diety mogła po raz pierwszy zajść w ciążę i urodzić zdrowe dziecko, a inna, która w czasie 8 lat małżeństwa nie mogła donosić żadnej ciąży, gdyż miała kilkanaście samoistnych poronień, po przeprowadzeniu kilkutygodniowej diety mogła urodzić zdrowego syna.

Szczególnym wskazaniem do diety jest zespół metaboliczny X, który dotyczy osób z otyłością, nadciśnieniem, cukrzycą typu II i powikłaniami cukrzycowymi, chorobą wieńcową, zarośniętymi *by-passami*, zakrzepicą, obrzękami. Cukrzyca typu I, która wiąże się ze stosowaniem insuliny, wymaga warunków szpitala.

Dieta ta może być również korzystna w przypadku choroby zwyrodnieniowej stawów, paradontozy, także zaćmy, żylaków, wrzodów żołądka, stanów przedrakowych (polipy, leukoplakia) itp.

Przeciwwskazania do diety warzywno-owocowej

Głównymi przeciwwskazaniami do diety warzywno-owocowej są następujące stany:

- trudny do opanowania lęk przed dietą, który wyzwala w organizmie reakcje stresowe, uniemożliwiające włączenie się własnych samoleczących mechanizmów, również ciężkie depresje,

- stany poważnie obniżonej odporności immunologicznej w przebiegu stosowania leków hamujących układ immunologiczny (hormony sterydowe, cytostatyki), również posterydowa lub autoagresyjna niedoczynność nadnerczy (choroba Adisona), transplantacja narządów np. nerek (cyklosporyna),
- choroby wyniszczające, takie jak: krańcowa niewydolność narządów (dializa nerkowa, krańcowa marskość wątroby, choroba nowotworowa w stadium zaawansowanym),
- stany związane ze wzmożonym metabolizmem (nadczynność tarczycy, okres ciąży, karmienia, u małych dzieci, u dziewcząt w okresie dojrzewania).

Mechanizm działania diety warzywno-owocowej

Dieta warzywno-owocowa składa się wyłącznie z roślin nisko skrobiowych i niskocukrowych. W porównaniu z tradycyjnym żywieniem dostarcza ona około pięciokrotnie mniejszej liczby kalorii (400 - 800 kcal/dzień względem 2000 kcal/dzień) i także pięciokrotnie mniej białka i węglowodanów, a ilość tłuszczu jest 20-krotnie mniejsza, dlatego dla organizmu stanowi ona rodzaj postu leczniczego, czy inaczej głodówki zdrowotnej. W czasie tak restrykcyjnej diety cały metabolizm przestawia się na tory spalania, oczyszczania i regeneracji. W moczu pojawia się ślad acetonu, gdyż aceton, jak i inne ciała ketonowe, powstaje w procesie spalania tłuszczu, a służy mózgowi za paliwo w czasie postu. Z tym procesem wiąże się potężny potencjał samoleczenia.

Podstawowym paliwem dla mózgu jest glukoza, a zapasy jej w organizmie są niewielkie, głównie jako glikogenu w wątrobie, i wystarczają zaledwie na jeden dzień głodówki. Ponieważ glukoza jest niezbędna dla mózgu, dlatego też w czasie diety dochodzi do zamiany na glukozę wszelkich złogów białkowych tj. uszkodzonych, zwyrodniałych lub martwych komórek, tkanek, zakrzepów, guzów, ropni, blizn itp. Ten rodzaj przemian nazywa się „odżywianiem wewnętrznym". Przestrzeganie zasad diety powoduje ustąpienie głodu. Przyczyną braku głodu jest wyłączenie ośrodka głodu, który znajduje się w rdzeniu mózgowym. Często zanika też pożądanie słodyczy, mięsa i innych używek. W przypadku przekroczenia 800 kcal, co może zdarzyć się w przypadku wzbogacenia diety w wysokokaloryczne pokarmy, jak np. rodzynki czy daktyle, może ponownie włączyć się ośrodek głodu i wtedy pojawia się uczucie głodu. W takim przypadku zostaje przerwany proces odżywiania wewnętrznego, czyli samoleczenia.

Czasami można zaobserwować już na początku diety jak szybko organizm usuwa wszelkie depozyty białkowe; zmniejszają się guzki tarczycy, także guzki zwyrodnieniowe okołostawowe palców, cofają przykurcze i sztywność stawów, poprawia się sprawność ruchowa. Obserwowaliśmy u naszych pacjentów jak unieruchomione w pozycji zgięciowej palce ręki, czy nogi wyprostowały się już po dwóch tygodniach diety i pacjenci mogli uniknąć operacji. Podobnie długotrwały przykurcz w stawie łokciowym u chorej cierpiącej od 15 lat z powodu gośćca reumatoidalnego, ustąpił już po trzech tygodniach diety.

Zaskakującą dla nas obserwacją było również ustąpienie rozległego zwłóknienia (blizny) w płucach już po dwóch tygodniach diety, zważywszy że blizny wcale nie cofają się podczas tradycyjnego leczenia. Są to przykłady oczyszczania przez spalanie, czyli zamianę depozytów białka na glukozę potrzebną dla mózgu.

Organizm oczyszcza się także przez wydalanie śluzu, czego wyrazem może być przejściowe pojawienie się kataru, śluzu w stolcu, czy w moczu. Zatoki oczyszczają się przez obfite spływanie śluzowo – ropnej wydzieliny, a nawet z domieszką krwi.

Jednym z ważniejszych mechanizmów działania postów jest odblokowanie zablokowanych genów, które znajdują się na chromosomach w jądrze każdej komórki. Grupa amerykańskich badaczy z Uniwersytetu w Madison pod kierownictwem prof. Richarda Weindrucha dokonała odkrycia, że restrykcje kaloryczne przywracają aktywność nieczynnym genom i także enzymom, które są „produktem" genów. Przywrócenie aktywności genom uruchamia regenerację, sprzyja odmłodzeniu, hamowaniu nowotworów i przedłużeniu życia. Wraz z odblokowaniem genów następuje normalizacja wszelkich biochemicznych badań, gdyż norma jest zapisana w genach. Dlatego też w grupie naszych pacjentów z chorobą wieńcową wysoki poziom cholesterolu „złego" LDL obniżył się i osiągnął normę po 6 tygodniach diety, zaś niski wyjściowo „dobry" HDL w tym czasie zwiększył się również osiągając zakres normy, podobnie normalizuje się niskie ciśnienie tętnicze jak i wysokie ciśnienie. Są to regulacje na poziomie genowym.

U pacjentki pod wpływem kilkutygodniowej diety uległ regeneracji paznokieć, który od czasu urazu, tj. od 27 lat, stale był rozdwojony. Obserwacja ta świadczy o odblokowaniu genów macierzy paznokcia uszkodzonych mechanicznie.

W innym przypadku dzięki sześciotygodniowej diecie udało się odtworzyć zanik chrząstki w stawie kolanowym, dzięki czemu pacjentka uniknęła operacji wymiany kolana na protezę, ponieważ geny regulują produkcję również białek chrząstki. Obecnie mija już jedenasty rok jak jest zdrowa i sprawna stale przestrzega zasad zdrowego żywienia.

Przebieg kuracji dietą warzywno-owocową. Kryzysy ozdrowieńcze

Na początku kuracji, w miarę odtruwania organizmu, mogą pojawiać się krótkotrwałe „kryzysy ozdrowieńcze" np. osłabienie, bóle głowy, nudności, wymioty, biegunka, stany podgorączkowe itp., będące wyrazem uwolnienia toksyn z tkanek i przeniknięcia ich do krwi. Osoby, które wcześniej stosowały terapie oczyszczające lub prowadziły zdrowy tryb życia, zwykle nie mają żadnych kryzysów.

W grupie 320 naszych chorych obserwowaliśmy następujące kryzysy: bóle głowy (45%), bóle brzucha (43%), biegunka (34%), bóle stawów, bezsenność czy zawroty (20%), zmiany skórne (5%). Objawy „kryzysów ozdrowieńczych" zwykle występują na początku stosowania diety, często ustępują samoistnie i nie wymagają najczęściej leczenia, wiążą się one z mobilizacją własnych samoleczących mechanizmów. W razie pojawienia się bólów głowy czy innych dolegliwości, można wykonać oczyszczenie jelit (lewatywa), gdyż wówczas organizm pozbywa się dużych ilości toksyn, zwłaszcza z żółcią i następuje szybka poprawa stanu zdrowia. Pomocna jest także aktywność ruchowa, picie większej ilości wody. U pacjentów z zaparciami pomocne są lewatywy czy zabiegi hydrokolonoterapii, a także zwiększenie ilości pitej wody.

U pacjentów cierpiących na choroby gastryczne na początku diety może wystąpić biegunka, która jest wyrazem złuszczania starego, zwyrodniałego nabłonka jelit, wraz z równoczesną regeneracją zdrowego nabłonka. Czas naprawy wynosi zaledwie 36 godzin. Od tej pory pacjenci zwykle mogą już jeść surowe warzywa i owoce bez dolegliwości.

W przypadku utajonych ognisk bakterii, w czasie diety mogą nasilać się objawy zapalne: dreszcze, gorączka, ból, obrzęk, zaczerwienienie, wzrost

OB itp. Objawy te po kilku dniach samoistnie ustępują. Są to objawy korzystne, świadczące o większej aktywności układu immunologicznego w rozpoznawaniu i niszczeniu bakterii.

Po kryzysach obserwuje się najczęściej stopniową poprawę samopoczucia i ustępowanie chorób.

Leczenie zespołu metabolicznego X dietą warzywno-owocową

Najwartościowszym pokarmem jest zawsze pokarm naturalny, zdolny do wzrostu (kiełkowania), nie przetworzony przemysłowo. Organizm aby przetrwać musi stale dostosowywać się do zmieniającego się otoczenia, a także do pokarmu, dzięki wymianie z otoczeniem materii i energii. Pionier nauki o odżywianiu naturalnym szwajcarski lekarz Max Bircher – Benner (1867-1939) odkrył lecznicze właściwości diety surowej. Jego odkrycia wyprzedziły epokę, gdyż powstały jeszcze przed poznaniem witamin, enzymów i mikroelementów. Dr Bircher – Benner sugerował, że najczęstszą przyczyną chorób jest degeneracja pokarmów naturalnych podczas ich gotowania i rozbijania tzw. całości pokarmowych w procesach oczyszczania, czyli rafinacji np. mąki czy cukru.

Obecnie mniejszą wartość przypisuje się kaloryczności pokarmów, natomiast większe znaczenie ma poziom cukru we krwi po spożyciu danego pokarmu. Wprowadzono klasyfikację żywności pod względem tzw. *indeksów glikemicznych* w skali od 1 do 100, Niskie indeksy rzędu 10 – 30, wiążą się z niskim poziomem cukru po ich spożyciu. Są to pokarmy naturalne, nie przetworzone, posiadające błonnik, który opóźnia wchłanianie glukozy do krwi, gdyż rozkład błonnika następuje dzięki obecnym w jelicie bakteriom kwasu mlekowego (*lactobacillus*). Wysokie indeksy rzędu 90 posiadają pokarmy pozbawione błonnika, jak na przykład: biała mąka, pizza, ciasta, bułki, słodycze, biały ryż, ziemniaki itp.

Co to oznacza w praktyce?

W wyniku spożycia pokarmów o wysokich indeksach glikemicznych następuje we krwi szybki wzrost poziomu cukru oraz insuliny, która obniża poziom cukru. Jednakże przy ciągłym nadmiarze cukru, a także skrobi w diecie, może dojść do stanu oporności tkanek na insulinę. W takich przypadkach rozwija się cukrzyca, we krwi utrzymuje się wysoki poziom cukru i insuliny, a podawanie nawet dużych dawek insuliny jest wówczas mało skuteczne. To właśnie insulina jest czynnikiem odpowiedzialnym za rozwój zespołu X metabolicznego, który opisał w 1988 roku Gerald Reaven. W skład tego zespołu wchodzą takie choroby cywilizacyjne jak: otyłość, cukrzyca typu II, nadciśnienie, miażdżyca (choroba niedokrwienna serca), wysoki poziom cholesterolu, zakrzepy, obrzęki. Insulina stymuluje również rozwój nowotworów za pośrednictwem estrogenów (raki hormonalnie zależne), oraz innych nowotworów za pośrednictwem czynnika insulinopodobnego IGF.

Ponieważ przyczyną zespołu X jest wysoki poziom insuliny, dlatego też przyczynowym leczeniem powinno być zastosowanie diety opartej na pokarmach o niskich indeksach glikemicznych takich jak np. warzywa i owoce, co oznacza że nie zwiększy się poziom cukru i insuliny po ich zjedzeniu.Wówczas, obniża się poziom insuliny we krwi, ustępuje oporność tkanek na insulinę i również normalizuje się poziom cukru.

Po zakończeniu diety warzywno-owocowej należałoby wyeliminować pokarmy rafinowane i wprowadzić na stałe żywienie oparte na naturalnych pokarmach o niskich indeksach glikemicznych takich jak: warzywa, owoce, niektóre ziarna jak np. jęczmień, który ma niski indeks glikemiczny (tylko 25), rośliny strączkowe, nasiona, dwa razy w tygodniu ryba, jeden raz w tygodniu drób.

Przykład 1. Obserwowaliśmy przypadek oporności na insulinę u trzydziestoletniego mężczyzny z ***cukrzycą,*** który od kilku lat był na insulinie. Miał stale wysoki poziom cukru, który utrzymywał się mimo zwiększenia dawki insuliny do 90 j. Od jednego roku, tj. od czasu, gdy zwiększono mu dawkę insuliny wystąpiła ***polineuropatia*** w postaci silnych bólów nóg. Krzyczał z bólu, miał wrażenie jakby nogi polewano wrzątkiem. Leki przeciwbólowe nie dawały ulgi, otrzymał skierowanie do chirurga celem amputacji nogi, na co pacjent nie wyraził zgody, szukał ratunku i natrafił na dietę warzywno-owocową. Już po kilku tygodniach diety całkowicie ustąpiły bóle nóg, a poziomy cukru znormalizowały się, co pozwoliło na przerwanie stosowania insuliny. Dziś czuje się dobrze, jest na diecie o niskich indeksach glikemicznych.

Przykład 2. Dla ilustracji przedstawiamy pacjenta z ***cukrzycą*** i ciężką postacią ***choroby niedokrwiennej serca***, który w koronarografii miał krytycznie do 95% zwężoną jedną z tętnic wieńcowych, a pozostałe były zwężone do 90%.

Po przejściu kilkudziesięciu metrów występowała u niego sinica, duszność i silne bóle zamostkowe, które nie ustępowały po nitroglicerynie. Pacjent nie wyraził zgody na *by-passy* i zastosował sześciotygodniową dietę warzywno-owocową, którą powtarzał dwukrotnie w ciągu roku. Wprowadził na stałe jeden dzień w tygodniu diety warzywno-owocowej. Zmienił żywienie: odrzucił cukier, mąkę, skrobię, jadał dużo warzyw i owoców. Obecnie mija już ósmy rok jak jest zdrowy, sprawny, powrócił do pracy, wszystkie wyniki badań ma w normie.

Wśród chorych z zespołem X metabolicznym obserwowaliśmy już w pierwszym tygodniu diety normalizację ciśnienia tętniczego u ponad 70% pacjentów z nadciśnieniem i normalizację poziomu cukru u ponad 80% chorych z cukrzycą typu II. Byli to pacjenci głównie z nadwagą. Utrata masy ciała wynosiła średnio: 4 kg w czasie dwutygodniowej diety, 8 kg w czasie czterotygodniowej diety i około 14 kg po sześciu tygodniach diety.

W grupie pacjentów z chorobą niedokrwienną serca wysoki poziom cholesterolu uległ normalizacji po sześciu tygodniach diety (251 → 192 mg/dl), zaś niski cholesterol „dobry" HDL w tym czasie zwiększył się o 32%, osiągając zakres normy.

Rola nietolerancji pokarmowych w leczeniu chorób z autoagresji

U niektórych chorych, zwłaszcza z chorobami z zakresu immunologii, endokrynologii, neurologii oraz gastroenterologii, niektóre nie strawione do reszty białka pokarmowe mogą przedostawać się przez nieszczelne bariery jelitowe (tzw. przeciekające jelita) do krwi, gdzie pobudzają produkcję przeciwciał (klasy IgG). Są to tzw. nietolerancje pokarmowe. Identyfikację takich pokarmów można przeprowadzić za pomocą testu na nietolerancje pokarmowe (*Food Detective*, www.cambridge-diagnostics.pl).

W przypadku podobieństwa tych niestrawionych białek pokarmowych do własnych białek organizmu, może dojść do autoagresji, czyli niszczenia na drodze przeciwciał własnych tkanek np. tarczycy (*choroba Hashimoto*), wątroby (autoagresyjne zapalenie wątroby), stawów (reumatoidalny gościec), mięśni itp. Identyfikacja i wykluczenie z diety tych nietolerowanych pokarmów stało się w naszym doświadczeniu przełomowym momentem w leczeniu wielu przewlekłych, a nawet nieuleczalnych chorób.

Dla ilustracji przedstawiamy poniżej kilka przypadków chorób z autoagresji, w których wykluczenie pokarmów nietolerowanych na podstawie testu na nietolerancje i kuracja dietą warzywno-owocową przywróciły zdrowie.

Przykład 3. U piętnastoletniego chłopca rozpoznano ***reumatoidalne zapalenie stawów***. Chłopiec miał bóle i wysięki w stawach kolanowych, a wobec braku efektów leczenia został zakwalifikowany do wózka inwalidzkiego. Nie akceptował inwalidztwa, szukał innych metod leczenia. Zastosował sześciotygodniową dietę warzywno-owocową, zaczął zdrowo odżywiać się, odrzucił słodycze, pizzę. Wszystkie dolegliwości ustąpiły. Minęło 13 lat, czuł się dobrze, powracał okresowo do diety warzywno-owocowej, uznał że jest już całkowicie wyleczony, więc powrócił do dawnego, złego stylu jedzenia tj. do ciasta, pizzy, mięsa. Niestety choroba powróciła, nasiliły się bóle, obrzęki i sztywność stawów. Musiał ponownie powrócić do kul. Zaleciliśmy mu dietę warzywno-owocową i wykonanie testu na nietolerancje pokarmowe. Test wykazał nietolerancję na gluten, żyto i drożdże. Po zastosowaniu kilkutygodniowej diety warzywno-owocowej i wykluczeniu nietolerowanych pokarmów wszystkie dolegliwości ustąpiły. Obecnie ma 30 lat, czuje się dobrze, przestrzega zdrowej diety, jest w pełni sprawny.

Przykład 4. U kobiety lat 38, rozpoznano przed trzema laty ***stwardnienie rozsiane.*** Od tego czasu utrzymywał się paraliż czterokończynowy oraz porażenie zwieraczy. Jedynym ruchem jaki mogła wykonać było przywiedzenie ręki do klatki piersiowej. Również miała porażenie ośrodka mowy, nie mogła wymówić ani jednego słowa, bełkotała. Była całkowicie bezradna, wożono ją w wózku inwalidzkim. Wszelkie próby konwencjonalnego leczenia okazały się nieskuteczne. Również próba podjęcia diety warzywno-owocowej nie dała spodziewanych efektów. Poleciliśmy jej wykonanie testu na nietolerancje pokarmowe, który wykazał nietolerancję glutenu, drożdży oraz większości warzyw. Zrozumieliśmy, że te nietolerancje były przyczyną braku efektów diety warzywno -owocowej. Należało wyeliminować pokarmy, których organizm nie toleruje. Pacjentka zaczęła stosować okresowe głodówki wodne i stopniowo włączała te warzywa, które były tolerowane. Już po dwóch miesiącach zaczęła następować stopniowa poprawa, ustępował paraliż kończyn, cofały się zaburzenia równowagi, mowy, oczopląs. Również nastąpiła poprawa w badaniu tomograficznym mózgu. Także nastąpiła normalizacja wysokiego poziomu hormonu prolaktyny, z czym wiązało się ustąpienie torbieli w piersiach. Obecnie minęły dwa lata, jest sprawna, mogła powrócić do pracy, jeździ samochodem, przestrzega diety eliminacyjnej i często powtarza kuracje dietą warzywno-owocową.

Przykład 5. U siostry zakonnej w wieku 37 lat czyli przed 10 laty wystąpił ***lewostronny paraliż*** ręki i nogi. Opierając się na kuli z trudem ciągnęła nieruchomą nogę, zaś lewa ręka zwisała bezwładnie. Gdy zastosowała dietę warzywno-owocową już po 2,5 miesiącach zaczęła stopniowo powracać ruchomość sparaliżowanej nogi i ręki. Jednakże palce lewej ręki pozostawały nieruchome. Po dalszych 1,5 miesiącach stosowania diety mogła odrzucić kule i zaczęła chodzić samodzielnie. Cofnęły się też zaniki mięśni barku i ramion, ustąpiły też bóle kręgosłupa, gdyż wcześniej nie mogła nawet obrócić się na łóżku. Przyczyną paraliżu była zakrzepica tętnicy szyjnej i kręgowej. Badanie USG wykonane po diecie wykazało udrożnienie tętnicy kręgowej, zaś tętnica szyjna pozostawała nadal niedrożna. Wykonany test na nietolerancje pokarmowe wykazał nietolerancję glutenu. Dopiero wykluczenie z diety glutenu i często powtarzane kuracje dietą warzywno-owocową spowodowały że zaczęła powracać ruchomość palców lewej ręki. Dieta ta okazała się również skuteczną metodą leczenia innych jej dolegliwości; ustąpiła nadwaga, wysokie ciśnienie i cholesterol znormalizowały się, zniknęły mięśniaki macicy, także wzrok poprawił się z 3 → 0,75 dioptrii. Pacjentka często stosuje kuracje dietą warzywno-owocową i przestrzega diety bezglutenowej.

Przykład 6. Trzynastoletnia dziewczynka od trzech miesięcy cierpiała na bóle i osłabienie siły mięśni nóg. Nie mogła wstać z pozycji siedzącej czy klęczącej, ani wejść po schodach. Badanie krwi wykazało, że enzymy martwicy mięśni były ośmiokrotnie wyższe względem normy, co świadczyło o ***autoagresyjnym zapaleniu mięśni***. Test na nietolerancje pokarmowe wykazał nietolerancję glutenu, mleka, jaj, marchwi i cytrusów. Podjęto próbę trzytygodniowego leczenia dietą warzywno-owocową z wykluczeniem nietolerowanych warzyw, a następnie dietę eliminacyjną. Już po diecie warzywno-owocowej nastąpiła radykalna poprawa. Powróciła pełna sprawność mięśni nóg, także wszystkie enzymy martwicy mięśni znormalizowały się. Obecnie mija drugi rok jak pacjentka jest zdrowa i sprawna, przestrzega diety pełnowartościowej z eliminacją pokarmów nietolerowanych, często stosuje kilkudniowe kuracje dietą warzywno-owocową.

Przykład 7. Pacjentka lat 54 z niedoczynnością tarczycy i zanikiem gruczołu tarczycowego w przebiegu ***autoagresyjnego zapalenia tarczycy (choroba Hashimoto).*** Od siedmiu lat utrzymują się u niej wysokie wartości przeciwciał przeciwtarczycowych rzędu 1300. Cierpi też na zespół „suchego oka", co jest wyrazem autoagresyjnego zapalenia gruczołów łzowych. Od czterech lat utrzymuje się ***niedowład lewostronny*** w przebiegu kleszczowego zapalenia mózgu (boreliozy). Jest wożona w wózku inwalidzkim. Cierpi też na silne bóle serca, jest po przebyciu dwóch zawałów serca, ma nadciśnienie krwi, które dochodzi do 240/160, wysoki cholesterol rzędu 400 mg/dl, częste infekcje oskrzeli i nerek, często „rodzi" w bólach kamienie nerkowe, ma silny zespół bólowy kręgosłupa. Była 60 razy hospitalizowana, w tym 30 razy na oddziale reanimacji. Przyjmuje codziennie 50 tabletek, w tym hormony tarczycy. Przypadkowo dowiedziała się o diecie warzywno-owocowej, którą natychmiast podjęła i w czasie pół roku przeprowadziła cztery sześciotygodniowe kuracje z przerwą 3 tygodniową po każdej kuracji.

Już po sześciu tygodniach diety zniknęły przeciwciała przeciwtarczycowe, a tarczyca, która była w zaniku odtworzyła się. Po dalszych kuracjach ustąpił niedowład lewostronny, mogła teraz chodzić, tańczyć, jeździć rowerem. Blizny na skórze po dziewięciu operacjach stały się cienkie i prawie niewidzialne. Ustąpiły też blizny po zawale serca, które były w poprzednich badaniach ekg. Już nie ma bólów serca, ani duszności. Ustąpił też zespół „suchego oka", ma teraz łzy, nie ma też żadnych infekcji, ani kamicy, również wzrok poprawił się o 4,5 dioptrii. Pacjentka uzyskała pełnię zdrowia, jest bez leków, często powraca do kuracji dietą warzywno-owocową. Przestrzega diety eliminacyjnej, gdyż test wykazał silną nietolerancję na gluten i mleko. Obserwacja obejmuje okres czteroletni.

Znaczenie zakwaszenia i alkalizacji krwi

Dieta warzywno-owocowa dzięki bogactwu minerałów wykazuje efekt alkalizujący w przeciwieństwie do współczesnego stylu odżywiania się, który opiera się głównie na pokarmach zakwaszających, czyli pokarmach rafinowanych i produktach pochodzenia zwierzęcego. Ponieważ zakwaszenie wiąże się z osteoporozą, więc dieta oparta na warzywach i owocach jest korzystna w leczeniu i profilaktyce osteoporozy. Zakwaszenie krwi wiąże się także z tendencją krwinek do sklejania się, czyli ich rulonizacji, co utrudnia utlenowanie tkanek przez krwinki, które niosą tlen. Niedotlenienie wiąże się z rozwojem zwyrodnień, nowotworzeniem naczyń i rozrostami nowotworowymi. Dlatego też dieta warzywno-owocowa, jako alkalizująca, zapobiega rulonizacji krwinek, poprawia utlenowanie organizmu i jest metodą profilaktyki zwyrodnień i chorób nowotworowych.

Przykład 8. Pacjentka, która żywiła się głównie mięsem, cierpiała na zespół chronicznego zmęczenia, miała ziemistą cerę, jej krwinki oglądane w mikroskopie z ciemnym polem widzenia były posklejane na kształt rulonów (Fot.1). Zastosowano dietę warzywno-owocową. Już po dwóch tygodniach diety obraz krwi znormalizował się. Również ustąpiło chroniczne zmęczenie i poprawiła się cera. Zmieniła żywienie na pełnowartościowe, odrzuciła mięso, zwiększyła ilość spożywanych warzyw i owoców, powróciły siły, czuje się dobrze.

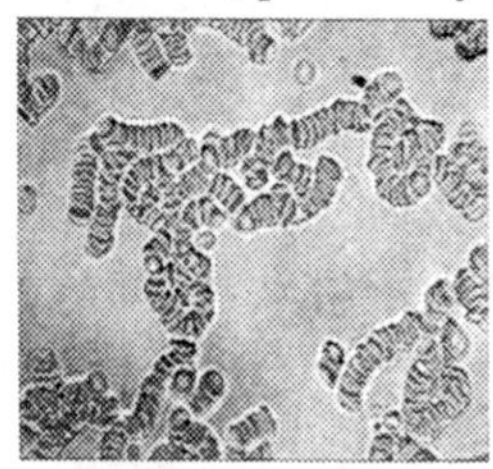

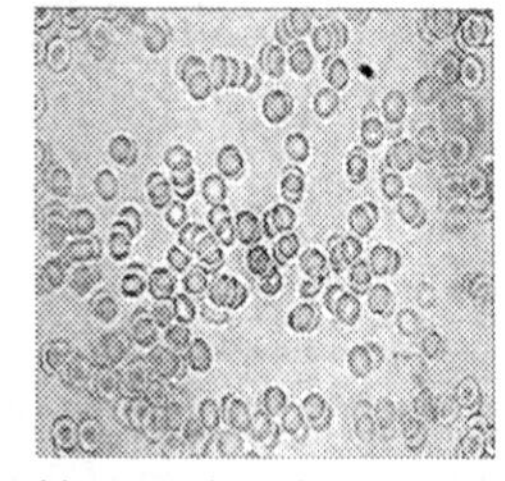

Fot. 1. Obraz żywej kropli krwi u pacjentki z zespołem chronicznego zmęczenia. Przed dietą widoczna rulonizacja krwinek i po dwóch tygodniach diety normalizacja obrazu krwi. Obraz z mikroskopu z ciemnym polem widzenia.

Co dalej po diecie?

Po kuracji dietą warzywno-owocową zaleca się włączenie żywienia pełnowartościowego, opartego na naturalnych, nie oczyszczonych przemysłowo pokarmach głównie pochodzenia roślinnego. Leczenie wspomaga aktywny ruch, np. gimnastyka, czy spacery.

Istnieją dwie główne przyczyny chorób, które należy uwzględnić w żywieniu, a są nimi: obecność toksyn w organizmie, jak również niedobory mikroelementów i witamin. Dlatego też okresowo stosowana dieta warzywno-owocowa (np. jeden dzień w tygodniu) znajduje uzasadnienie, gdyż oczyszcza ona organizm z toksyn i jednocześnie uzupełniania szereg bioaktywnych substancji. Szczególną rolę odgrywa żywność surowa, także świeżo wyciskane soki warzywne i owocowe, które posiadają czynne enzymy, witaminy i minerały w dobrze przyswajalnej postaci.

Organizm potrzebuje dostarczenia 40 składników pokarmowych codziennie, a znamy ich około 60. W przypadku wadliwego żywienia, a także w razie biegunek lub wymiotów mogą występować duże niedobory witamin, mikroelementów i innych substancji bioaktywnych. Aby je uzupełnić należy wprowadzić suplemenację diety. Szczególnie bogatym ich źródłem jest pyłek pszczeli, a także algi takie jak: Spirulina, czy Chlorella, które uzupełniają niemal wszystkie witaminy, aminokwasy, mikroelementy i także enzymy.

Należy eliminować żywość, która jest chorobotwórcza, a do niej zalicza się wszelkie pokarmy rafinowane takie jak: cukier, biała mąka, biała sól, rafinowane i utwardzone oleje, chemiczne dodatki do żywności, takie jak: glutaminian sodu, aspartam, barwniki, pestycydy, pokarmy smażone, wędzone, alkohol, kawę, mocną herbatę itp. Również należy eliminować pokarmy nietolerowane.

Istnieje również konieczność usunięcia plomb amalgamatowych, które zawierają toksyczną rtęć, która sprzyja rozwojowi drożdżycy (*Candida*), a drożdże mogą produkować około 50 toksyn. Niektóre z toksyn wywołują zaburzenia hormonalne: obniżają hormony tarczycy i progesteron i zwiększają prolaktynę. Pożywką dla drożdży jest także cukier. Zaleca się pić więcej wody, nawet wbrew pragnieniu np. po dwie szklanki przed głównymi posiłkami. Uzupełnianie wody zwiększa wypłukiwanie toksyn z organizmu, z czym wiąże się ustąpienie wielu dolegliwości takich jak zgaga, bóle stawowo-mięśniowe, zaparcia, suchość skóry i wiele innych.

Również należy ograniczyć spożywanie tłuszczów zwierzęcych, gdyż w procesie spalania tłuszczu na poziomie komórkowym (w mitochondriach) powstają toksyczne wolne rodniki, które są odpowiedzialne m.in. za raka, miażdżycę i przedwczesne starzenie się. Aby zneutralizować wolne rodniki zaleca się jeść warzywa i owoce w ilości pięciu sztuk dziennie. Warzywa i owoce posiadają witaminy antyoksydacyjne i tysiące polifenoli, które neutralizują wolne rodniki. Szczególnie cenny w zmiataniu wolnych rodników jest czosnek i czarne owoce (aronia, jagody, porzeczka).

Oleje z rodziny omega 3, czyli olej lniany i rybny, są składnikiem wszystkich błon komórkowych. Ponieważ niedobór tych olejów występuje niemal w każdej chorobie, dlatego też należy je uzupełniać, zwłaszcza w postaci zmiksowanej z chudym twarogiem (pasta Budwig), co znacznie zwiększa wchłanialność oleju.

Przykład 9. Pacjentka lat 45 chora na ***stwardnienie rozsiane.*** Choroba ujawniła się u niej przed 28 laty w postaci rzutów choroby, które występowały co kilka lat. Miała silne zawroty głowy, traciła władzę w rękach, nie mogła utrzymać nawet swego nowonarodzonego dziecka, ani pióra, przestała chodzić, miała podwójne widzenie, nietrzymanie moczu, była na rencie, nie miała nadziei na wyzdrowienie. Kiedy przed 12 laty zastosowała dwutygodniową dietę warzywno-owocową i następnie wprowadziła pełnowartościowe żywienie z dodatkiem oleju lnianego zmiksowanego z chudym twarogiem, zaczęła następować poprawa. Powtarzała okresowo dietę warzywno-wocową. W ciągu dwóch lat pojawiały się jeszcze rzuty choroby, ale rzadziej i o mniejszym nasileniu. Od 10 lat jest zdrowa i sprawna, już nie było więcej nawrotów choroby, nawet urodziła drugie dziecko, wróciła do pracy, prowadzi samochód,stale używa olej lniany.

Dzięki takiemu zdrowemu stylowi życia i okresowym kuracjom warzywno-owocowym najczęściej udaje się utrwalić wyniki leczenia i zapobiec nawrotom chorób, gdyż tajemnica zdrowia i długowieczności tkwi w utrzymaniu czystości wewnętrznej ciała. Powrót do dawnego złego stylu życia powoduje nawrót chorób i konieczność powrotu do leków

DODATEK

Moi Kochani! Ze względu na liczne zapytania pacjentów dotyczące spożywania produktów pochodzenia zwierzęcego pragnę w tym miejscu odpowiedzieć na kilka pytań.

Czy po przeprowadzeniu leczniczej kuracji postno-oczyszczającej (warzywno-owocowej) zdrowiej jest pozostać na diecie ściśle bezmięsnej, czy można jeść mięso?

Otóż praktyka wykazała, że zwłaszcza w obecnych czasach, gdy życie nasze jest pełne stresów – dodatek drobiu (również wątróbki), który spożywamy zwłaszcza z warzywami – korzystnie wzmacnia organizm dostarczając wielu cennych składników pokarmowych. Zdrowiej jest jeść drób hodowany metodami naturalnymi (raczej unikać jedzenia skóry i tłuszczu drobiowego), gotowany, lub duszony (nie smażony) i w ograniczonej ilości. Korzystne jest spożywanie ryb (do dwóch razy w tygodniu) najlepiej duszonych w szkle żaroodpornym z warzywami i przyprawami ziołowymi, lub gotowanych. Natomiast mięso czerwone (wieprzowe, czy wołowe) i tłuszcz zwierzęcy (boczek, smalec) lepiej wykluczyć.

Czy należy pić mleko?

Są dwa rodzaje reakcji organizmów na mleko:

1) W przypadku nietolerancji na białka mleka, co często występuje u chorych z: alergiami, gośćcem, chorobami z autoagresji, zmianami skórnymi, w tzw. „zespole przeciekających jelit" itp. po wypiciu mleka może wystąpić reakcja organizmu w postaci uczucia zmęczenia, wysypki, astmy, biegunek, bólów stawowych itp. Wówczas należy unikać picia mleka, co często stosują sami pacjenci twierdząc, że mleko im szkodzi.

2) W przypadku dobrej tolerancji na mleko słodkie, czy zakwaszone (acidofilne, jogurt, kefir) – nieduży dodatek mleka do diety jest korzystny.

Wykazał to m.in. dr Ornish w słynnej swojej diecie sprzyjającej cofaniu się zmian w naczyniach wieńcowych, a opartej na ziarnach, warzywach, owocach, orzechach, z dodatkiem filiżanki mleka i białka z jajka. Również Długowieczni Hunzowie z Tybetu, plemię nie znające żadnej choroby stosuje w swoim żywieniu nieduże ilości mleka pochodzącego od jaków.

Czy można jeść jajka?

Białko z jajek – można jeść bez obaw – jak to wykazał Ornish. Żółtko stanowi dobre połączenie zwłaszcza z warzywami, gdyż wchłanianie cholesterolu jest wówczas nieduże. Natomiast jajko w połączeniu z tłuszczem (np. majonez), czy węglowodanami (z cukrem) jest mniej korzystne, gdyż istnieje wówczas niebezpieczeństwo podwyższenia poziomu cholesterolu we krwi.

Jak zapobiec osteoporozie?

Aby zapobiec osteoporozie należy redukować ilości spożywanych pokarmów zakwaszających organizm (zwłaszcza produktów rafinowanych np.

białego cukru i białej mąki, a także nie bazować na białku pochodzenia zwierzęcego), natomiast zwiększyć pokarmy alkalizujące, takie jak: warzywa, zwłaszcza zielone (kapusta, natka pietruszki, brokuły). Jeść kasze, ziarno sezamu, chleb razowy, płatki zbożowe „muesli" (moczone), skiełkowane ziarna. Ograniczyć spożycie produktów przemysłowo przetworzonych i z dodatkiem fosforu (zupy w proszku, niektóre leki, napoje gazowane, wyroby typu instant itp.), i najlepiej odstawić kawę, alkohol, papierosy i białą sól. Zwiększyć dowóz wapnia (mielone muszelki, czy skorupki jaj), jeść ryby, pić tran, zwiększyć aktywność fizyczną i korzystać (z umiarem) ze słońca.

Czy należy ściśle przestrzegać spożywania wszystkich wymienionych w tej książeczce zestawów z kuracji warzywno-owocowej?

Nie trzeba, są to tylko przykłady. Wystarczy wybrać te pokarmy, na które mamy ochotę. Soki rozcieńczyć wodą. Ważne jest, aby nie dodować innych odżywczych pokarmów jak np. oleju, czy chleba, gdyż organizm może wówczas zmienić system odżywiania z „wewnętrznego", (który jednocześnie „oczyszcza" i uruchamia mechanizmy samoleczące), na odżywianie „zewnętrzne" – nie pełnowartościowe. Jeżeli zdarzy się to sporadycznie, to nic nie przeszkadza, aby uzyskać korzystny efekt kuracji.

Z serdecznymi pozdrowieniami
Ewa Dąbrowska

INFORMACJA
O WCZASACH ZDROWOTNYCH

Uwaga! W związku z powstaniem na terenie kraju, jak również za granicą, wielu ośrodków stosujących dietę warzywno-owocową według autorstwa dr Ewy Dąbrowskiej, informujemy że dr Ewa Dąbrowska sprawuje nadzór medyczny wyłącznie w trzech poniżej wymienionych ośrodkach:

Ośrodki na Kaszubach

- Ośrodek Wczasów Zdrowotnych „U Zbója" w **Gołubiu**
  (pierwszy ośrodek z dietą warzywno-owocową
  w Polsce, powstał w 1994 roku)
  83-316 Gołubie, ul. Wczasowa 29
  tel./fax 58 684-36-57
  e-mail: uzboja@uzboja.pl, www.uzboja.pl

- WALDTOUR-REVITA
  Kaszubskie Centrum Promocji Zdrowia Sp. z o.o.
  w **Gołubiu** (powstał w 1996 roku)
  83-316 Gołubie, ul. por. Dambka 4
  tel./fax 58 684-37-39 lub 58 684-37-87
  e-mail: rezerwacja@w-revita.pl,
  www.waldtour-revita.pl

Ośrodek nad Morzem Bałtyckim

- Ośrodek Rehabilitacyjno-Wczasowy „SOFRA"
  Sp. z o.o w **Mielnie** (powstał w 2000 roku)
  76-032 Mielno – Unieście, ul. Chełmońskiego 2
  tel. 94 318-92-64
  e-mail: rezerwacja@sofra.com.pl,
  www.sofra.com.pl

Wymienione Ośrodki stosują dietę warzywno-owocową lub pełnowartościową opartą na naturalnych produktach roślinnych takich jak m.in. pełne ziarno, są całoroczne, posiadają zabezpieczenie medyczne, stosują także rahabilitację ruchową, wykonują testy na nietolerancje pokarmowe (*Food Detective*).

Oficjalna strona internetowa dr Ewy Dąbrowskiej: **www.ewadabrowska.pl,** na stronie tej podane są m.in. jej publikacje dotyczące diety warzywno-owocowej.

Równocześnie informujemy, że zostały zorganizowane rekolekcje z „postem Daniela" (dietą warzywno-owocową). „Post Daniela" uzyskał akceptację Prymasa Polski Kard. Józefa Glempa, który udzielił arcypasterskiego błogosławieństwa.

- Parafia św. Jakuba w **Warszawie**
  (rekolekcje z udziałem dr Ewy Dąbrowskiej)
  02-314 Warszawa Ochota, ul. Grójecka 38,
  Plac Narutowicza
  tel. kom. 0 608 267 332

- Dom Rekolekcyjno-Misyjny Misjonarzy Świętej Rodziny w **Bąblinie**
  64-607 Kiszewo (k. Obornik Wielkopolskich), Bąblin 5
  tel. 61 297-16-28
  email: sekretariat@bablin-msf.home.pl,
  www. bablin-msf.home.pl

- Archidiecezjalny Dom Rekolekcyjny im. Bł. Urszuli Ledóchowskiej w **Zaborówcu** (koło Włoszakowic),
  64-150 Wijewo, ul. Powstańców Wielkopolskich 24
  tel. 61 879-88-92, tel. kom. 0 607- 239 - 047
  e-mail: zaborowiec@op.pl,
  www.zaborowiec.neostrada.pl

- Centrum Animacji Misyjnej w **Konstancinie** k. Warszawy
  05-510 Konstancin-Jeziorna, ul. Leśna 15-17
  tel. 22 756 -35- 90
  e-mail: konstancin@cam.pallotyni.pl,
  www.cam.pallotyni.pl

Inne ośrodki wczasowe z dietą warzywno-owocową

- Ośrodek Profilaktyczno-Rehabilitacyjny
  im. O. Pio w **Radawie**
  37 - 523 Radawa (koło Przemyśla)
  tel./fax 16 622 30 43
  e-mail: rec@domojcapio.pl,
  www.domojcapio.pl

- Wczasy Zdrowotne w **Przytkowicach**
  34-141 Przytkowice 292
  tel./fax 33 876 85 18, tel. kom. 0 728 950 472
  e-mail:wczasyzdrowotne@przytkowice.pl,
  www.przytkowice.pl

Uwaga! Zarówno Autor jak i Wydawca nie ponoszą odpowiedzialności za ewentualne powikłania wynikłe ze stosowania diety warzywno-owocowej bez nadzoru lekarskiego.

Dr med. Ewa Dąbrowska
z doc. dr med. Kingą Wiśniewską
– Roszkowską nestorką terapii
postnych w Polsce